한국 인권문제

미국 반응 및 동향 5

한국 인권문제

미국 반응 및 동향 5

한국학술정보

| 머리말

일제 강점기 독립운동과 병행되었던 한국의 인권운동은 해방이 되었음에도 큰 결실을 보지 못했다. 1950년대 반공을 앞세운 이승만 정부와 한국전쟁, 역시 경제발전과 반공을 내세우다 유신 체제에 이르렀던 박정희 정권, 쿠데타로 집권한 1980년대 전두환 정권까지, 한국의 인권은 이를 보장해야 할 국가와 정부에 의해 도리어 억압받고 침해되었다. 이런 배경상 근대 한국의 인권운동은 반독재, 민주화운동과 결을 같이했고, 대체로 국외에 본부를 둔 인권 단체나 정치로부터 상대적으로 자유로운 종교 단체에 의해 주도되곤 했다. 이는 1980년 5·18광주민주화운동을 계기로 보다 근적인 변혁을 요구하는 형태로 조직화되었고, 그 활동 영역도 정치를 넘어 노동자, 농민, 빈민 등으로 확대되었다. 이들이 없었다면 한국은 1987년 군부 독재 종식하고 절차적 민주주의를 도입할 수 없었을 것이다. 민주화 이후에도 수많은 어려움이 있었지만, 한국의 인권운동은 점차 전문적이고 독립된 운동으로 분화되며 더 많은 이들의 참여를 이끌어냈고, 지금까지 많은 결실을 맺을 수 있었다.

본 총서는 1980년대 중반부터 1990년대 초반까지, 외교부에서 작성하여 30여 년간 유지했던 한국 인권문제와 관련한 국내외 자료를 담고 있다. 6월 항쟁이 일어나고 민주화 선언이 이뤄지는 등 한국 인권운동에 많은 변화가 있었던 시기다. 당시 인권문제와 관련한 국내외 사안들, 각종 사건에 대한 미국과 우방국, 유엔의 반응, 최초의 한국 인권보고서 제출과 아동의 권리에 관한 협약 과정, 유엔인권위원회 활동, 기타 민주화 관련 자료 등 총 18권으로 구성되었다. 전체 분량은 약 9천여 쪽에 이른다.

2024년 3월

한국학술정보(주)

| 일러두기

· 본 총서에 실린 자료는 2022년 4월과 2023년 4월에 각각 공개한 외교문서 4,827권, 76만 여 쪽 가운데 일부를 발췌한 것이다.

· 각 권의 제목과 순서는 공개된 원본을 최대한 반영하였으나, 주제에 따라 일부는 적절히 변경하였다.

· 원본 자료는 A4 판형에 맞게 축소하거나 원본 비율을 유지한 채 A4 페이지 안에 삽입 하였다. 또한 현재 시점에선 공개되지 않아 '공란'이란 표기만 있는 페이지 역시 그대로 실었다.

· 외교부가 공개한 문서 각 권의 첫 페이지에는 '정리 보존 문서 목록'이란 이름으로 기록물 종류, 일자, 명칭, 간단한 내용 등의 정보가 수록되어 있으며, 이를 기준으로 0001번부터 번호가 매겨져 있다. 이는 삭제하지 않고 총서에 그대로 수록하였다.

· 보고서 내용에 관한 더 자세한 정보가 필요하다면, 외교부가 온라인상에 제공하는 『대한 민국 외교사료요약집』 1991년과 1992년 자료를 참조할 수 있다.

| 차례

머리말 4

일러두기 5

한국 인권상황 관련 미국 동향, 1990-91. 전5권 (V.4 1991.8-9월) 7

한국 인권상황 관련 미국 동향, 1990-91. 전5권 (V.5 1991.10-12월) 195

정 리 보 존 문 서 목 록

기록물종류	일반공문서철		등록번호	2012080154	등록일자	2012-08-28
분류번호	701		국가코드	US	보존기간	영구
명 칭	한국 인권상황 관련 미국 동향, 1990-91. 전5권					
생 산 과	북미1과		생산년도	1990~1991	담당그룹	
권 차 명	V.4 1991.8-9월					
내용목차						

0001

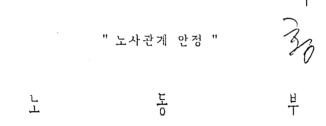

" 노사관계 안정 "

노   동   부

국제 32220-1102   (504-7338)   1991. 8. 1.

수신 외무부장관

참조 미주국장

제목 한국 노사관계 홍보자료 송부

　　　최근 ICFTU, OPIC, AFL-CIO, UAW 등 외국 노동단체들의 아국 노동현실 비판에

능동적으로 대응하기 위한 홍보자료를 첨부와 같이 송부하오니 주미대사 (노무관)

로 하여금 활용토록 하여 주시기 바랍니다.

첨부 1. 한국의 노동행정 영문본 10부.

　　　2. 한국의 노동법 영문본 10부. 끝.

노   동   부   장

"산업평화 정착"

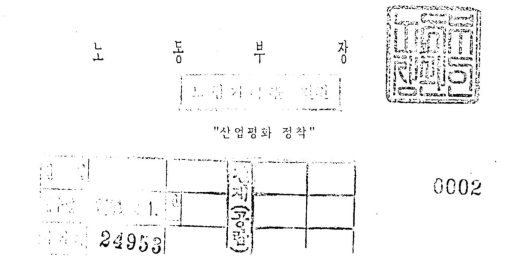

0002

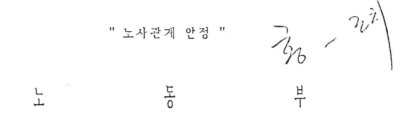

" 노사관계 안정 "

노   동   부

국제 32220-□□□□   (504-7338)   1991. 8. 1.

수신 외부부장관

참조 미주국장

제목 OPIC 보고서에 대한 해명 자료

1. 국제 32220-10751 ('91. 7. 25) 관련임.

2. 위 관련에 의거 우리나라의 노동현실에 대한 자료를 기 송부하였으나 추가로 OPIC의 주요 지적사항에 대한 해명자료를 보내오니 주미대사로 하여금 OPIC 에 제출하도록 하여 주시기 바랍니다.

첨부 해명자료 1부. 끝.

노   동   부   장

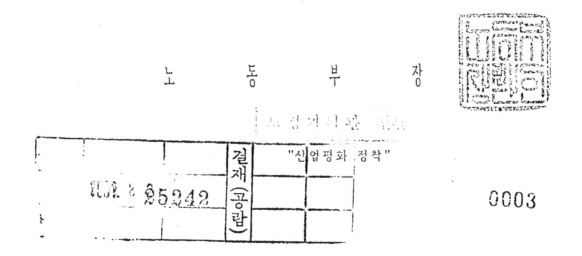

"산업평화 정착"

0003

기 안 용 지

분류기호 문서번호	미일 0160-2**8012** (전화 : 720-2321)		시 행 상 특별취급	
보존기간	영구.준영구. 10. 5. 3. 1.	장	관	
수 신 처 보존기간				
시행일자	1991.8.5.			

보 존 기 간	국 장	전 결	협 조 기 관		문 서 통 제
	심의관				
	과 장				
기안책임자		문승현			발 송 인
경 유 수 신 참 조	주미대사		발 신 명 의		

제 목	**노동행정관련** 노사관계 홍보책자 송부

연 : WUS(F)-0512

연호, 우리나라의 노동 ~~현실~~ **행정** 과 관련한 노동부 작성 홍보 책자를

별첨 송부하니 OPIC, AFL-CIO, ICFTU 등 외국 노동 단체들의 우리나라 노동

현실 비판에 대응하기 위한 홍보자료로 활용 하시기 바랍니다.

첨부 : 1. 한국의 노동행정 영문본 9부.

　　　 2. 한국의 노동법 영문본 9부.　　끝.

0004

외 무 부

번 호: WUSF-0551 910806 1833 FN 년월일: 시간:

수 신: 주 미 대사(총영사)

발 신: 외무부장관(미안)

제 목: OPIC 보고서에 대한 서명자료

총 8 매 (표지포함)

보 안 동 제	6.
외 신 과 통 제	

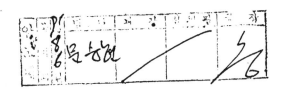

About the Distorted View of Korean Labour Reality of 1991 OPIC workers Rights Report on Republic of Korea

1991. 8.

Ministry of Labour
Republic of Korea

Summary

Basically, 1991 OPIC Workers Rights Report on Republic of Korea seems to foster some misunderstandings based only on external facts, without regard for the background of labor law legislation, as well as for social peculiarities and practices. These misunderstandings include : 1) Particular parts of the labor law and institution which they feel infringe on the right of the labor union, 2) the legitimate enforcement of laws against illegal acts being an impediment to fundamental labor rights, and 3) a distorted view that a few restrictive regulations mean overall restrictions and prohibitions.

It is, therefore, regrettable that OPIC put forth the distorted argument that Korea allows no labor union rights only because of a few restrictive regulations particular to our situation, and because of the legitimate arrest of workers who commit illegal acts. The fact is that our country extensively guarantees three primary labor rights.

0007

1. About the Restriction of Freedom of Association

Basically our Constitution guarantees workers' autonomous organization, collective bargaining, and collective action rights. Accordingly, the Labor Union Law guarantees the right of workers to organize and enter labor unions freely, and the Labor Dispute Adjustment Law admits exemption from civil and criminal responsibility for legitimate acts of labor dispute. At the end of 1987, after the June 29 Declaration, collective labor laws, such as the Labor Union, and Labor Dispute Adjustment Laws, were amended so that labor unions were allowed to determine their own organizational form and guaranteed management autonomy by deleting the dissolution and board reelection orders from the administrative office, As well, conflict resolution practices are settled through the due process of the law, and the government, taking a neutral position, rapidly and fairly adjusts activities. Consequently, organized labor has increased rapidly and the labor movement has become an active one. Labor unions and members have increased from 2,725 and 1,050,000 in June 1987 to 7,698 and 1,900,000 in December 1990, respectively.

0008

2. About the Prohibition of the Right of Civil Servants, public sector workers to organize

◊　According to Article 33 of the constitution, civil servants are denied the right to organize because of their special position, except for outdoor civil servants such as those working for the railroad or on communication. The reasons are as follows :

　　　　- According to Article 7 of the constitution, civil servants are are responsible to the whole nation

　　　　- Civil servant salaries and working conditions are determined by laws and by the national budget and so working conditions cannot be improved through dispute activities.

　　　　- Hence, to allow civil servants labors' three primary rights, the conditions and development level of the nation should be considered.

◊　Workers in public managed enterprises and in the defense industry are guaranteed the unrestricted right to organize.

OOO9

3. About the Prohibition on Over-lapping Labor Unions

◊ According to Article 3 clauses of the labor union law, " when the subject of an organization membership is the same as an already existing labor union, or the purpose of an organization is to hamper the normal operation of already existing labor unions", This clause is not an infringement of labor rights.

4. On the Arguement that the Prohibition of Interference by a Third Party is Not Justifiable.

◊ The constitutional guarantee of the basic right of labor aims at the realization of ⌈collective autonomy⌋ of a trade union by its achieving external autonomy and internal democracy.

◊ The autonomy of a trade union requires that a trade union should be established and opereated by the free will of workers, excluding interference of a third party in collective bargaining.

◊ Article 13 - 2 of the Labor Dispute Adjustment Law, that is the prohibition of interference by a third party, reflects the peculiar experience in Korea that manipulation, instigation or interefence have deteriorated labor-management relations.

0010

◊ However, consulting general or labor lawyers does not violate the clause on the prohibition of interference by a third party.

◊ The Constitution Court ruled in 1990, that the clause on the prohibition of interference by a third party is not against the Constitution.

5. On the Teachers' Labor Movement.

◊ Even though the Korean Constitution guarantees the basic right of labor to workers, it is restricted in the case of public servants. Article 66 of the Public Servants Law, and Article 55 of the Private School Act, prohibit the labor movement of teachers.

◊ Instead of trying to reform such laws, teachers went ahead and established their union on May 27, 1989, in violotion of these laws.

◊ Even though the government tried to persuade them to stop union activities, some of them refused. Hence, the government was obliged to release them from office.

◊ Teachers' union activities in Korea have not had out of the bona fide purpose of a labor union. They have denied the sovereignty of the state over education rather than worked to improve their working status and environment.

0011

◊ Tehachers' union activities concentrated on political and idlological struggles, which may infringe on the right of students to be educated.

6. About the Arrest of Trade Union Members

◊ Legitimate law enforcement with regard to such illegal acts as militant demonstrations and the throwing of Molotov cocktails does result in the arrest of some union leaders.

  - Moreover, most of them are arrested not for the violation of labor law but for criminal law violations.

  - It is, therefore, unreasonable to regard these arrests as a suppression of fundamental labor rights.

◊ Generally speaking, every nation has laws to regulate antinational activities

  - Korea is no exception ; we have the National Security Law which protects the security of the nation and ensures national freedom and survival.

  - No citizen, including the union leader, is allowed to participate in antinational activities to overthrow democracy ; such activities have no relation to workers' interests or welfare.

0012

- For the same reason, some union members are also arrested for their involvement in illegal or violent dispute activities and for antinational activities such as agitating a violent or class revolution.

◊ Never the less, some foreign labor organizations argue that many arrests are simply due to labor union activity and that the arrestees' transgressions are not clearly or concretely clarified. This is unfortunately, a distorted misunderstanding.

◊ Beyond this, some radical labor unions, such as Chonnohyop are even pushing for the dissolution of the Democratic Liberty Party for suppressing the labor movement and also what the release of all arrestees.

- These demands have nothing to do with working conditions and everything to do with using labor disputes as a political weapon.

- However, these radical groups do not have the support of the workers and are becoming weak because of a continual withdrawal of member unions.

0013

법 무 부 인 권 과

19   .   .   .

아래 문건을 수신자에게 전달하여 주시기 바랍니다.

제 목 : _____

수 신 : **외무부 북미과**

(수신처 FAX NO: **722-8205**)

발 신 : _____

표지포함 총 ___ 매

0014

정 보 보 고

1. 제 목

주한 미대사관 1등서기관 당부 방문결과

2. 출 처

인 권 과

(1991. 8. 5)

3. 내 용

주한 미대사관 1등 서기관 Peter Roe 가

8. 2, 11:00 당부를 방문하여 '92 미국무부

인권보고서 작성과 관련, 아국 인권상황에 대한

11개 질문사항을 제출하고, 인권과장과 면담하였

는 바, 그 면담결과 및 질문사항은 별첨과 같음

첨 부 : 1. 면담결과 1부.

2. 질문서 1부. 끝.

0015

주한미국대사관 인권담당관(PETER ROE 일등서기관)

인권과장 면담내용

1991. 8. 2.

인 권 과

0016

1. 개 요

O 일 시 : 1991. 8. 2.(금), 11:00-12:10

O 장 소 : 인권과장실

O 면담자 : PETER ROE (주한미국대사관 일등서기관)

O 배석자

　.인 권 과　　김 웅 기 검사

　　　　　　　정 기 용 검사

　.검찰제 3과　　신 종 대 검사

　.보안제 2과　　박 도 석 사무관

＊ 첨부자료

　11개 질문사항

0017

2. 대화요지

ㅇ 과 장

건강한 모습으로 다시 만나서 기쁘다.

ㅇ PETER ROE

바쁜 시간을 내 주어서 고맙다.

한국 정부는 최근에 UN에 국제인권규약보고서를 제출한 것
으로 알고 있다. 그 내용을 알 수 있겠는가.

ㅇ 과 장

법무부를 중심으로 정부 11개 관련부처가 합동하여 작성한
국제인권규약보고서를 외무부에서 영역하여 지난 7.31.
유엔인권이사회에 제출하였다.

보고서 영문본은 외무부로부터 입수되는대로 제공하겠다.

ㅇ PETER ROE

민주당측의 미 하원의원으로부터 홍근수 목사에 대한 범죄
사실 등 자료제공 협조요청을 받았는데 협조해 줄 수
있는가.

/

0018

ㅇ 과 장

동인 및 범민련에 대한 자료는 이미 외무부를 통하여 미
대사관에 전달된 것으로 알고 있다. 이 기회에 지금까지
양측이 해 왔던 자료 협조문제를 재점검해 보도록 하자.
본인은 대체적으로 귀측의 협조에 만족한다. 다만 귀측이
자료요청을 하는 경우 미국내의 누가 어떠한 위치에서
무슨 이유로 자료를 원하는 지에 대한 배경설명이 다소
부족한 감이 있다고 생각한다. 따라서 비효율적인 측면도
있다.

미 하원의원 51명이 귀국의 BUSH 대통령에게 노태우 대통령
방미시 한국 인권상황을 거론해 달라는 편지를 낸 사실을
아는가? ("모른다"고 답변)

홍근수의 경우 위 서신에서도 언급되고 있다. 귀 대사관측
은 같은 미 하원의원이 관심있다고 하니 자료요청을 또
하게 되는데 우리로서는 같은 자료를 중복적으로 제공하는
결과가 된다. 귀측의 정보수집 범위에 한계가 있겠으나
가급적이면 미국 의회나 정부내의 관심사항을 총괄적으로
검토하여 우리와 접촉해 주었으면 하는 바램이다.
귀하에게 상기 서신 사본을 제공하겠다.

0019

우리의 졸견으로는 이 서신에 서명한 51명이 한국의 인권

문제에 관심을 보이는 하원의원들이라고 생각한다.

그 중에는 귀하도 알겠지만 한국내의 특정 인물과 절친한

사람도 있으며, 한국의 인권상황을 보는 시각이 왜곡되었

다고 밖에 생각되지 않는 정치적 인물도 있다.

가능하다면 귀측에서 평소에 관심을 갖고 이들의 관심사항

이 무엇인지를 체크하여 우리에게 알려주면 자료준비에 큰

도움이 되겠다.

문제의 서신에 대하여는 양국정상이 거른하지는 아니 하였

지만, 우리는 위 서한이 언급하고 있는 문제등에 관하여

정부입장을 설명하는 자료를 작성하여 우리 외무부를 통해

의원들에게 설명할 기회를 갖을 것으로 기대하고 있다.

설명자료가 만들어질 경우 귀하에게도 제공할 용의가 있다.

귀 대사관측에서도 하원의원의 요청을 자주 받고 있는 등

자료의 필요성을 절감하고 있을 것으로 여겨진다.

o PETER ROE

매우 좋은 정보를 제공해 주어 고맙다.

위 서한에 서명한 의원중 1명은 야당총재의 절친한 친구로

금년 6월하순 - 7월초순에 방한했었다.

3   0020

자료를 주면 우리도 하원측에 설명해 주는 등 노력해
보겠다.

특히 귀하가 지적하고 있는 문제는 본인도 전적으로 동감
이다. 부임후 아직 익숙치 않아서 어려움이 있다.

귀하의 도움을 기대한다. 한국 인권문제를 자주 거론하는
의원에 대해서는 알고 있는 정보를 귀하에게도 제공하겠다.

O 과 장

본인은 미국측과의 대화방식에 만족한다. 우리는 실무자
들이니 서로 터놓고 이야기를 해야 된다.

귀하의 어려움은 언제든지 기꺼이 도울 수 있는 준비가
되어 있다. 문제는 서로간의 우정과 신뢰의 문제이다.

미 국무부 인권보고서 준비는 잘 되고 있는가?

O PETER ROE

보고서 작성을 위하여 우선 1차적으로 질문 11개를 작성해
왔는데 이에 관하여 답변자료를 제공해 주었으면 좋겠다.

O 과 장

귀하가 작성한 질문서에 관하여 성의있는 답변자료를 제공
하겠다.

4   0021

먼저 이 자리에서 질문의 쟁점을 좀 더 명확히 검토해 보도록 하자.

1번 질문에 관하여 보면, 실정법위반행위에 관한 통계자료는 범죄유형에 따라 유지하고 있다. 문제는 질문이 요구하고 있는 "정치적 행위"로 인한 구속자의 통계가 있는가 여부이다. 이런 통계는 없다. 어느 나라도 이런 통계는 없을 것이다. 이는 정책적 문제가 아니다. "정치적 행위"라는 용어 자체가 비법률적이며 지극히 주관적인 개념이다. 물론 귀하도 알다시피 우리나라의 경우 단순히 정치적 행위로 인하여 구속되는 경우는 없으며 실정법을 위반하였을 경우에 한하여 구속이 된다.

우리가 범죄통계를 분류할 때 "정치적 행동"이라는 요소를 분류기준으로 한다는 것은 이론상으로나 실무적으로나 불가능하다.

컴퓨터에는 누가 어느 실정법 위반인가라는 요소에 의해 범죄통계 분류가 이루어지고 있는 것이다.
이는 노조활동과 관련하여 구속된 인원의 통계의 경우도 마찬가지이다.

5

0022

이러한 통계를 굳이 작출해야 한다면 모든 형사사건의 기록을 검보하여 구속된 자의 범죄행위가 정치적 활동이나 노조활동과 관련한 것인지를 가려내야 하는데 이러한 작업은 귀하도 알겠지만 불가능한 일이다. 문제는 또 있다.

기록을 검토한다 하더라도 정치적 활동이나 노조활동과 관련한 것인지, 정치활동 또는 노조활동의 가면을 쓰고 다른 범죄적인 목적하에 실정법을 위반한 것인지 여부를 가려내야 할 것인데 누가 가려 내겠는가?

정부가 가려 낸다면 재야에서는 즉각적으로 정부가 조작하였다고 주장할 것이다. 그렇다고 법원에게 맡길 수 있는가? 법원은 이러한 업무를 취급하지 않는다.

민간인에게 맡길 수도 없다. 누가 공신력을 담보할 수 있는가?

지구상의 어느 나라도 이러한 통계를 공식적으로 자신있게 발표할 능력을 갖고 있는 나라는 존재하지 아니 한다.

관련 인권단체들은 자기들 방식으로 이러한 통계를 발표한다. 이것은 가능하다. 이들은 회원들의 주장을 그대로 빈고 임의적으로 자기들의 분류기준에 따라 통계를 작출하기 때문이다. 물론 이 통계는 공신력과 신빙성이 결여되어 있다.

민간단체도 통계를 발표하는데 정부가 왜 발표하지 않는가? 숨기는게 아닌가 하는 식으로 오해해서는 안된다. 귀하의 보고서에도 이 점에 관한 언급이 포함되기를 기대한다.

○ PETER ROE

한국정부가 통계를 조작하고 있다는 흑색선전이 두려워 그러한 통계를 뽑지 않는 것이 아닌가?

○ 과 장

정부가 극소수의 몇몇 재야단체의 마타도어를 두려워 하겠는가? 오로지 기술적으로 공신력 있는 통계를 뽑는 것이 불가능하기 때문이다. 이 점에 관하여는 추호의 오해도 있어서는 안된다.

○ PETER ROE

귀하의 답변에 공감한다. 보고서에 반영하겠다.

○ 과 장

2번 질문에 관하여는 성의있는 자료를 제공할 수 있다고 본다.

3번 질문에 관하여도 상세히 체크해 본 후 자료를 제공하겠다.

7   0024

KNCC 인권위원회가 제공한 통계자료에 관하여 언급해 달라는 4번 질문에 관하여 보건대, 아까도 지적하였지만 그들은 정부에는 전혀 확인요청을 하지도 아니하고 자기들 나름대로의 기준에 따라 일방적으로 위와 같은 통계를 작성하여 발표한 것이다.   이러한 임의적이고 공신력이 결여된 일개 단체의 통계에 대해 정부가 코멘트 한다는 것 자체가 우스운 일이다. 굳이 해 달라면 "그 통계는 일방적인 것으로 사실이 아니다."라고 밖에 달리 할 말이 없다. 또한 a-f 까지의 부차적 질문사항에 관하여는 앞에서 말한 것처럼 그러한 통계자료를 뽑는 데는 기술적 문제점이 있기 때문에 답변 불가능하다.

O PETER ROE

KNCC나 민가협은 법무부에 자기들이 필요한 통계자료 제공을 요청하지 아니하는가?

O 과 장

그들은 전혀 그런 요청없이 자기들이 자체 작성한 통계 자료를 발표하고 있을 뿐이다.   이것은 그들의 속성이자, 전략이다. 그들 스스로 자기들 통계가 임의적인 것임을

8

0025

잘 알고 있고, 정부에 확인요청하면 정부답변이 "그 통계
는 허위다.   그런 방식으로 통계잡는 것은 불가능하다"
라고 나갈 것임을 뻔히 알고 있는데 확인요청을 하겠는가?
그들은 그럴듯한 통계만 만들어 발표하면 그만이라는
생각을 갖고 있을 뿐이지 통계의 공신력에는 관심이 없다.

ㅇ PETER ROE

정치범이 1,630명이 구속되어 있다는 통계가 맞는가?

ㅇ 과 장

귀하는 어떻게 생각하는가? (자신은 "잘 모르겠다"고 답변)

그런 통계는 정확하지 아니하다.   정치범은 없다.

그에 대해서는 정부의 반박논평이 수차례 나갔고 전입자도
알고 있는 사항이다.

그에 관한 자료를 주겠다. (반박논평문 사본 수교)

우리는 정치범의 정의에 관해 연구해 보았으나 통일된
정의가 확립되어 있지 않음을 알았다.   대체적으로 보건대,
그동안 거론된 "정치범" 이란 뜻은 "정치적 이유로 부당
하게 정치적 목적을 위하여 구금된 죄수"라고 정의되는 것
이 아니냐라고 이해하고 있을 뿐이다.

9

0026

이러한 개념하에서 볼때 적어도 한국에는 정치범이 없음을 단언하는 바이다.

국제사면위원회에서는 정치범의 개념을 규정한 사실이 있으나 이는 일반적으로 적용될 수 있는 것은 아니고 어느 특정그룹의 시각에 불과한 것이다.

가사 동 위원회의 정치범 개념에 의하더라도 우리나라에 있어서는 실정법을 위반한 폭력행위자나 그 옹호자들만 구금되었으므로 그들 개념하에서도 정치범은 없다.

또한 본인은 여러 급진세력그룹의 주장도 검토하였으나, 각 그룹마다 자기들의 입장을 옹호하기에 적절한 정치범에 관한 개별적 정의를 가지고 있을 뿐이다.

○ PETER ROE

정부는 KNCC 인권위원회 등을 인정하는가?

○ 과 장

정부가 그 단체를 인정한 사실이 없다. 정부등록단체가 아니므로 정부차원에서 인정하지(accept)는 않는다. 물론 결사의 자유가 있으므로 임의단체로 인식(recognize)하고 있기는 하나 공식적인 대화의 상대방(official recognition)으로는 인정하지 않는다.

이 단체는 종교적 배경하에 일부 종교인들이 결성한 사적
단체일 뿐이며 매우 과격한 입장에 치우쳐 있다.

ㅇ PETER ROE

그들이 접촉을 원한다면?

ㅇ 과 장

못 만날 이유가 없다.

기꺼이 만나서 의견을 나눌 의사가 있다. 문제는 그들이
정부당국의 이야기를 성의를 가지고 경청할 의도가 있는지
여부이다. 지금까지의 경험에 비추어 보면 부정적이다.

이번에 준비하는 미 국무부 인권보고서는 어느 시점을 집필
대상기간으로 정하였는가?

ㅇ PETER ROE

'90부터 '91. 9.까지분을 준비하고 있다.

ㅇ 과 장

귀하가 알다시피 우리의 인권상황은 완벽하게 개선
(completely improved)되었다.

0028

11

그에 관한 자료를 정리해서 제공하겠다. 한국의 언론이 자유롭고 지나칠 정도로 공격적인 감시활동을 하고 있음은 귀하도 느낄 것이다.

○ PETER ROE

국제인권규약 선택의정서 등을 포함하여 전반적인 국제인권 기준(International Human Rights Standards)에 관하여는 어떻게 생각하는가?

○ 과 장

본인은 우리나라의 경우 위와 같은 국제인권기준에 일치 하고 있다고 본다.

귀하의 전임자는 이와 같은 본인의 견해에 일부 찬성하고 일부 부정하였다.

앞으로 귀하와 위 부분에 관하여 많은 토론을 할 수 있다고 생각한다.

5번 질문에 관하여는 전체 석방자 명단을 일괄적으로 제공 하기는 곤란하나 특정인에 관한 자료를 요청하면 제공할 수 있다.

/2

0029

6번 질문에 관하여 보면, 이 문제는 원래 민가협 측에서 제기된 것이다.

위 장기수들은 진정한 공산주의자로 폭력혁명을 신봉하고 있으며, 민주주의 정부를 전복하여 프로레타리아독재를 실현하고 북한의 무력남침에 의한 적화통일을 확신하고 있는 자들로서 항상 현존하는 위험을 포지하고 있다.

부차적 질문사항중 a, b에 관하여는 설명자료를 제공할 수 있으나 c에 관하여는 앞에서 말한 것 같은 기술적 문제점 때문에 답변하기 곤란하다.

o PETER ROE

7, 8, 9, 10, 11번 질문사항은 어떠한가?

o 과 장

위 질문사항들에 관해서는 충분한 답변자료를 제공할 수 있다.

o PETER ROE

10번 질문과 관련하여 묻고 싶은데 수사과정에서 고문이 빈번히 발생하는가?

13

0030

O 과 장

물론 어떤 공무원 개인적으로 어느 조사대상자 또는 수형자
에 관하여 좋지 못한 감정을 가지고 고문이나 가혹한 행위
를 가하는 경우는 충분히 있을 수 있다. 이는 명백히 범죄
행위이며, 그 공무원은 가중처벌된다.

그러나 이러한 잘못은 그 공무원의 인격과 자질에서 비롯
된 문제이지 정부의 정책이나 제도가 잘못되었기 때문은
아니다.

중요한 것은 고문이나 가혹행위를 저지르는 공무원이 있을
경우 이를 찾아 내어 엄벌함으로써 정부의 확고한 고문
근절의지를 밝히는 것이다. 최근에 나온 가혹행위를 한
공무원에 대한 실형판결등은 바로 정부의 의지를 나타내는
하나의 예가 될 수 있을 것이다.

또한 덧붙여 말하고 싶은 점은 자칭 정치범이라고 주장하는
공안사범은 한결같이 첫 공판에서 고문을 받았다고 주장
하여 모든 증거의 증거능력을 배척하려고 시도하나 본인이
알고 있는 한 그런 주장을 한 자가 실제로 고문을 받은
경우는 없고 이는 어디까지나 그들의 전술전략이다.

/4   0031

만약 귀하가 이들에 대한 재판 진행상황을 방청할 기회가 있다면 그들이 얼마나 고의적이고 치밀하게 재판진행을 방해하는지를 확인할 수 있을 것이다. 이들은 재판받는 것도 부쟁의 일환으로 여기고 있다.

오늘날과 같이 모든 것이 공개된 사회에서 정부차원에서 어떻게 고문을 하거나 묵인 또는 비호할 수 있겠는가.

위 10번 질문의 사건은 소매치기 사건으로서 관계당국에서 진상을 조사중이다.

물론 고문사실이 인정되면 관련자는 엄중한 처벌을 받을 것이다.

ㅇ PETER ROE

오늘 매우 유익한 논의를 한 것을 고맙게 생각한다.

앞으로로 많은 협조를 바란다. 자료는 가급적 빨리 제공해 주길 부탁하며 15일후쯤 2차 질문서를 보내도록 하겠다.

ㅇ 과 장

다른 문의사항도 언제라도 기꺼이 답변해 주겠다.

다음에 다시 만나기로 하자.

(녹취 및 정리 : 검사 김응기)

15

0032

(첨부자료)

(질문 1)　올봄에 노동 , 정치관련 활동 및 시위와 관련되어 구속된
　　　　　　사람의 숫자는 얼마인가?

(질문 2)　지난 5월 국무총리 폭행사건후 , 상당수의 대학생들이 위
　　　　　　폭행사건은 물론 관련 시위가담 관계로 구속되었는데 ,
　　　　　　그 구속된 학생들의 인적사항과 구속날짜 및 죄명은
　　　　　　무엇인가?

(질문 3)　올해들어 노동쟁의 등을 봉쇄하기 위해 구사대를 동원한
　　　　　　회사들에 대한 기소사례가 있었는가?
　　　　　　구사대에 가담하였다가 구속된 사람이 있는가?
　　　　　　노동쟁의 등을 강제진압한 폭력경찰에 대해 기소한
　　　　　　사실이 있는가?

(질문 4)　　KNCC 인권위원회의 아래와 같은 통계자료 등에 대해
　　　　　　논평을 바란다 .

　　a.　KNCC 보고서에 열거된 국가보안법 위반 등 각종 법률위반 등의
　　　　　죄명으로 경찰에 구금된 사람들의 통계숫자가 정확한지 여부?

　　b.　화염병 , 돌 투척 혹은 개인재산 파괴 등과 같이 직접 그리고
　　　　　개인적으로 폭력행위에 가담하였다는 이유로 아래 죄명에 의해
　　　　　기소된 사람의 숫자는?

0033

c. 폭력시위나 노동쟁의 등을 계획하였다는 이유로 기소된 사람의 수는?

d. 개인적으로 폭력행위를 범했기 때문에 국가보안법 위반죄명으로 구속, 기소된 사람의 수는?

e. 위와 같은 행위로 구속되어 여전히 구금상태에 있는 사람의 숫자는? 기소된 숫자는? 재판 대기중인 숫자는?

f. 구속, 기소되어 지금 재판 진행중인 사람의 수는? 판결을 선고받은 사람의 수는?

(질문 5) 올해들어 사면으로 석방된 모든 사람들의 명단과 그들의 죄명 및 그들이 선고받은 형량에 관한 자료.
형법을 포함해서 한국 실정법 위반혐의로 기소된 사람들이 사면을 받거나 가석방을 받기 위해서는 반성문이나 회개문의 작성이 법률에 의해 요구되는가?

(질문 6) 1990년 12월 아시아워치 보고서에 따르면, 재소자중 57명이 20년 혹은 그 이상 기간동안 간첩죄나 국가반란죄명으로 계속 수감중에 있는데, 그들은 단지 그들이 자신의 좌익사상이나 공산주의사상에서 전향한다는 내용의 반성문 작성을 거부한다는 이유만으로 계속 수감중이라는 것이고, 한걸음 더 나아가 위와 같은 내용의 반성문 작성을 거절한 사람 중에서 이제까지 그 형기 만료일 전에 석방된 사람은 단지 한사람으로 '서승'이다.라고 아시아워치는 주장하고 있는 바,

0034

- '서승'과 같이 위와 같은 내용의 반성문을 작성하지 아니한
  채 그 형기 만료이전에 석방된 장기복역수가 있는가?

- 형사범으로서 장기형 선고를 받고 교도소 복역중인 사람의 수는?
  장기형을 선고받은 사람들 중의 몇 퍼센트가 가석방되었는가?

- 위 57명의 복역수 중에서 개인적이고 직접적으로
  폭력행위에 가담한 사람은 몇명인가?
  북한인민군이나 친북한 게릴라에 가담하여 활동한 사람은
  몇명인가?
  북한 사회안전국 요원으로 활동한 사람은 몇명인가?

(질문 7) 한국에서 일반형사범에 대한 일반인 접견권은 어떤가?
          가석방이나 사면제도는 어떤가?
          좌익으로부터 전향을 거부한 재소자 중에서 한국정부로부터
          사면을 받아 석방되거나 가석방된 사람의 수는?

(질문 8) 병든 재소자의 관리를 위해 한국정부가 고용하고 있는 전담의사,
          공중위생관리요원, 간호원, 약사들은 몇명이나 되는가?
          1980년부터 1991년 금년까지 사이에 교도소 안에서
          사망한 재소자의 수는?
          그중 적절한 의료조치를 받지 못해 사망한 재소자의 수는?

0035

(질문 9) 지난 6월 안기부는 서울사회과학연구소 소속연구원 6명을
국가보안법 위반혐의로 구속하면서, 위 연구소가 공식적으로
무력혁명을 지지하였다고 발표하였는데,

- 이 사건은 현재 어떤 상태인가?
  이미 기소가 된 상태인가?

(질문10) 지난 7월 30일, 서울형사지방법원은 서울지검 동부지청에서
2명의 범죄혐의자들이 그곳 지하실로 끌려가 고문을 당하였
다고 하였는데, 이 고문사건의 진상은 무엇인가?
그 2명 혐의자의 성명과 혐의죄명은 무엇인가?
법무부는 이 고문사건과 관련된 관계공무원을 처벌할 의사가
있는가

(질문11) 위 사건 이외에도 올해들어 법무부가 알고 있는 고문주장
사례가 있는가?
올해에 경찰이나 국가공무원 중에서 재소자나 구금차 등에
고문을 가하여 기소되거나 처벌받은 사람이 있는가?

0036

분류번호	보존기간

발 신 전 보

WUS-3550   910806 1834 FN

번   호 : _____   종별 : _____

수   신 : 주   미   대사. 총영사

발   신 : 장   관 (미일)

제   목 : OPIC 보고서에 대한 해명자료

연 : WUS(F)-551

대 : USW-3429

대호, OPIC의 주요지적 사항에 대한 노동부 작성 해명 자료를 연호 송부하니,
OPIC에 제출하고 결과 보고 바람.   끝.

예   고 : 91.12.31. 일반

(미주국장대리   김영식)

| | 보   안
통   제 | |
|---|---|---|
| | | |

<table>
<tr><td rowspan="2">앙
고
재</td><td>기안자
성명</td><td></td><td>과 장</td><td>심의관</td><td>국 장</td><td></td><td>차 관</td><td>장 관</td></tr>
<tr><td></td><td></td><td></td><td></td><td></td><td></td><td></td><td></td></tr>
</table>

외신과통제

관리 번호	91-1170		

기 안 용 지

분류기호 문서번호	미일 0160- 1354	(전화 : 720-2321)	시 행 상 특별취급	
보존기간	영구.준영구. 10. 5. 3. 1.	장 관		
수 신 처 보존기간				
시행일자	1991. 8. 6.			

보조기관	국 장	전 결	협조기관		문 서 통 제
	심의관				
	과 장			발 송 인
기안책임자	문승현			

| 경유 수신 참조 | 법무부장관 검찰국장 ,교정국장 | 발신명의 | | |

| 제 목 | 수감자 관련 문의 |

일반문서로 재분류 (19 91.12.31)

1. Ronald Dellums(민주 ,캘리포니아) 하원의원은 주미대사앞

서한을 통해, 서준식이 6.29 명동성당 농성후 검거되었고, 7.10부터

단식에 들어갔다고 언급하면서 동인의 체포경위 및 건강에 관심을 표명

하여 왔읍니다.

2. 이와 관련 당부는 주미대사로 하여금 회답하도록 조치할

예정인 바, 동인의 범죄사실 및 건강상태 등 답신에 필요한 사항을

통보하여 주시기 바랍니다.   끝.

0038

관리
번호 91-1722

외 무 부

종 별 : 지 급

번 호 : USW-3936

일 시 : 91 0807 1830

수 신 : 장 관(미일,봉이,노동부,법제처)

발 신 : 주 미국 대사

제 목 : OPIC 대응 자료

대:WUS-3445,3550

연:USW-3679

1. 국회 통과후 정부에 이송되어 헌법 제 53 조 2 항에 의거 국회의 재심의에 회부되므로써 89.3. 법안 통과가 부결된 노동 조합법 및 노동쟁의 조정법안과관련, 부결 당시 국무회의에 보고된 안건의 내용과 관보에 게재된 내용을 지급FAX 송부 바람.

2. 동 자료는 OPIC 보고서에 대한 당관 대응 자료 작성에 참고코저 함.끝.

(대사 현홍주-국장)

예고:91.12.31 까지

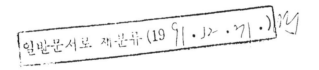
일반문서보. 재분규 (19 91 . 12 . 71 .)

미주국   통상국   노동부

91.08.08   09:38

왁싱 2과 통제관 BS

0039

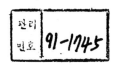

법　　　무　　　부

인권 0160-153　　　　　503-7045　　　　　1991. 8. 8.

수신　외무부장관

참조　미주국장

제목　미 하원의원 51명 연서서한에 대한 반박설명 자료 송부

　　　1.　귀부 미일 0160-1796('91.7.19)과 관련입니다.

　　　2.　Tom Lantos 미 하원의원 등 51명의 아국 인권상황에 대한

연서서한 내용에 대하여 별첨과 같이 반박설명자료를 송부합니다.

첨　부 : 설명자료 1부. 끝.

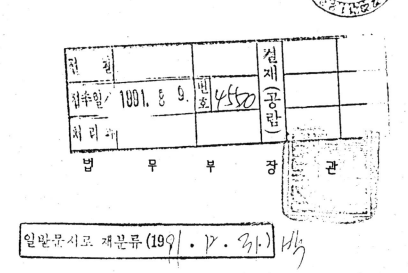

0040

설 명 자 료

1. 소위 정치범에 관하여

○ 서한내용

한국에는 여전히 1,100여명의 정치범이 있으며, 그들중 많은
사람이 평화적으로 정치적 견해를 표현한 혐의로 구속됨

○ 반박내용

- 소위 정치범으로 거론되고 있는 사람들은 대부분 화염병투척
  등 폭력시위나 방화, 기물파괴, 공공건물이나 사업장 점거등
  으로 구속된 폭력사범이거나, 자유민주주의 체제의 전복을
  기도하고 사회주의 폭력혁명을 선동하는 등 폭력을 옹호하는
  사람들임

- 이들은 적법절차에 따라 구속되었으며, 공개되고 신속한
  재판을 받고 있음

- 정치범이 1,100명이 된다는 주장이나 그들중 많은 사람이
  평화적으로 정치적 견해를 표현한 혐의로 구속되었다는 주장은
  그들의 범법내용을 확인해 보지 않고, 일부 반정부 단체의
  일방적 주장을 그대로 원용한 것으로서 유감이라 아니할 수
  없음

0041

2. 장기수에 대하여

○ 서한내용

전향이나 정치적 신념의 전환을 거부하여 20년동안 구금되어
있는 48명의 장기수에 대한 우려표명

○ 반박내용

- 전향이나 정치적 신념의 전환을 거부했다는 이유로 20년동안
  구금되어 있는 것이 아니고 대남적화통일을 노리는 북한으로
  부터 간첩교육을 받고 입국하여 대한민국의 군사비밀 등 각종
  정보를 탐지하여 북한에 보고하는 등으로 자유민주체제를
  전복하려는 간첩행위를 하다가 검거되어 적법한 사법절차 및
  법률에 따라 법원으로부터 유죄판결을 받아 복역중에 있는
  것이며, 그중 20년이상 복역중인자는 31명임

- 교정시설의 기능은 수형자를 교정교화하여 건전한 국민으로
  사회에 복귀하는데 목적을 두고 있으므로 이에 따라 그들에게도
  교정교육의 차원에서 자유민주주의 체제의 우월성을 인식하고
  공산주의 사상의 허구성을 인식하도록 각종 교정교화 활동을
  전개하고 있으나 전향서의 제출은 전적으로 본인의 자유로운
  의사에 의하고 있음

- 한편, 전향을 하지 아니한 수형자라 할 지라도 접견, 서신등
  모든 권리는 다른 재소자와 동일하게 처우하고 있을 뿐만 아니라
  금년에도(91년) 미전향좌익수중 질병과 고령등으로 수형생활이
  어렵다고 판단되는 재소자 7명을 형집행정지로 석방하고 스스로
  전향서를 쓰고 공산주의 사상을 포기한 재소자 48명을 가석방
  으로 조기 석방한 바 있음

0042

3. 국가보안법의 적용에 관하여

○ 서한내용

- 국가보안법이 계속적으로 비판자, 노조지도자, 정치운동가
  들을 위협하고 체포하는데 사용되고 있음

- 국가보안법의 재개정과 김근태, 문익환의 석방을 요구함

- 또한 홍근수 목사를 비롯한 범민련 관계자 몇명의 체포에
  대하여 관심을 표명함

○ 반박내용

- 정부를 비판하거나 노조운동 또는 정치운동을 한다는 이유로
  국가보안법을 적용할 수는 없음

- 국가보안법은 간첩행위, 폭력혁명과 계급혁명을 통해 자유민주
  주의체제를 전복하려는 반국가행위, 북한의 선전.선동에 동조
  하여 폭력혁명과 계급혁명을 선동하는 행위에 적용되는 것임

- 위와 같이 국가보안법이 적용되는 행위와 정부비판, 노조운동,
  정치운동과는 전혀 다른 문제라고 생각함

- 반국가사범들은 자신들의 범법내용을 은폐하면서 자신들이
  단순히 정부를 비판했다는 이유로 또는 노동운동을 했다는
  이유로 탄압받고 있다고 선전하고 있음

0043

- 이러한 선전은 종종 압수된 문건에서 나타나는 바와 같이
  그들의 주요 투쟁전술중의 하나이며, 이러한 선전을 통해
  정부의 국제적 위신을 실추시키고, 국민들의 반정부 감정을
  고취시키려 하는 것임을 분명히 이해하여 주기 바람

- 김근태는 폭력시위를 선동.주최한 혐의로 구속되어 '91.4.26
  법원에서 징역2년 형이 확정되었고, 문익환은 밀입북한 후
  북한의 선전.선동에 동조한 혐의로 구속되어 '90.6.8 법원
  에서 징역7년 형이 확정되어 현재 형집행중에 있으므로 이에
  따라야 할 것임

- 홍근수는 북한이 우리 사회를 혼란시키기 위해 사용하고 있는
  통일전선전술에 동조하여 소위 범민련 남측본부 준비위원회를
  구성하고, 사회주의화를 선동하는 유인물을 제작하고, 법질서
  를 무시한 채 북한측과 임의로 접촉하는 등의 행위로 '91.2.20
  구속되어 현재 1심 계속중에 있으므로 그 재판결과에 따라
  처리될 것임

0044

4. 노동권의 침해주장에 대하여

○ 서한내용

- 노 정부하에서 노동권이 침해받고 있으며, 제한적인 노동법은
  노조원들의 집회와 단체협상의 자유를 부인하는데 사용됨

- 전교조 회원들은 단지 노동조합을 구성한다는 이유로 해직되고
  구속되었음

- 평화적인 노조활동으로 체포된 수백명의 노동자와 노동운동가
  들은 석방되어야 함

○ 반박내용

- 한국의 헌법과 노동법 하에서 법이 정한 신고절차에 따라
  평화적으로 노조활동을 하는 한 노동권은 충분히 보장받고
  있음

- 구속된 노동자와 노동운동가들은 평화적인 노조활동으로
  체포된 것이 아니라 사업장내의 기물을 파괴하거나 관리직
  사원·비노조원들을 폭행하고, 노동자들에게 폭력적 방법에
  의한 계급혁명을 선동한 혐의로 구속된 것임

- 전교조 회원들에 대한 구속은 아국의 헌법과 노동법이 교사
  들의 노동조합 결성을 허용하고 있지 않기 때문임

0045

- 교사들의 노동조합 결성을 허용하지 않는 아국의 헌법과
  노동법은 아국의 역사적 전통과 사회의식, 교육의 특수성
  등을 고려하여 다수 국민이 선택한 것임

- 그러므로 이러한 다수의 선택에 반대한다면 민주사회의
  시민으로서는 그 의사를 평화적인 방법으로 표시하여야 할
  것이며, 법률이 마음에 들지 않는다고 법률을 무시하고 위반
  해서는 안될 것임

- 고 케네디 대통령이 말했듯이 '민주주의에서 시민은 법에
  대해서 동의하지 않을 자유는 갖고 있지만 법에 불복종할
  자유는 없는 것임'.

0046

	분류번호	보존기간

발 신 전 보

번 호 : WUS-3648   910813 1519' DU   종별 :

수 신 : 주   미   대사 . 총영사

발 신 : 장 관   (미일)

제 목 : 미 하원의원 연서서한

대 : 미국(의) 700-1421

연 : WUS(F) - 0565

대호 연서서한에 대한 법무부 작성 반박 설명자료를 연호로 Fax 송부한바,
대호 서한에 가담한 의원들과 접촉등의 기회를 이용 우리의 인권상황 개선상황을
적극 설명하고 결과보고 바람.   끝.

(미주국장   반기문)

		보 안 통 제	

앙 고 재	91 년 8 월 13 일	북 미 과	기안자 성 명		과 장	심의관	국 장		차 관	장 관	외신과통제

0047

공   란

공 란

공   란

발 신 전 보

번 호 : WUS-3718   910817 1153   C급별 : _____

수 신 : 주   미   대사 . 총영사///

발 신 : 장 관   (미일)

제 목 : 서준식 근황

대 : USW-3766

연 : WUS(F)-0575

대호 요청한 서준식의 범죄사실, 건강상태등 법무부 작성 자료를 연호로

Fax 송부한 바, Dellums(민, CA) 의원에게 적의 통보하고 결과 보고 바람.   끝.

(미주국장   반기문)

일반문서로 재분류(1991 . 12. 31 .)

보안통제	(서명)

앙고재	91년 8월 17일	기안자성명		과장	심의관	국장		차관	장관	
	북미1과					전결				

외신과통제	

0051

분류번호	보존기간

발 신 전 보

번 호 : WUS-3721   910817 1226   F품별 : _____

수 신 : 주   미   대사. 총영사//

발 신 : 장 관   (미일)

제 목 : OPIC 대응자료

대 : USW - 3936

연 : WUS(F) -0574

대호, 노동부 작성 노동관련 개정 법률안 재의요구 사유서를 별전 FAX

송부함. 끝.

(미주국장   반기문)

일반문서로 재분류(19 91 . 12 . 31.)

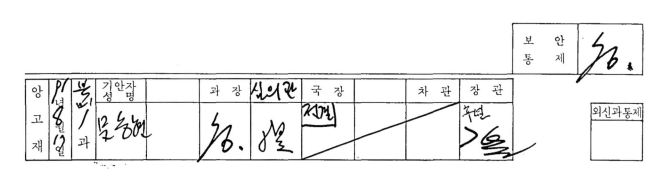

앙 고 재	91 년8 월17 일 분1 과	기안자 성명 문동현	과 장	심의관	국 장	차 관	장 관	보 안 통 제
								외신과통제

0052

법   제   처

총무 02140- *1027*   720-3373   1991. 8. *10*

수신 외무부장관

제목 자료송부

    1. 대 : USW - 3936(1991. 8. 7)

    2. 대호로 요청한 자료를 별첨과 같이 송부하니 업무에 참고하시기 바랍니

다.

첨부 1. 재의요구안 각 1건

    2. 국회심사 경과보고서 각 1건. 끝.

반송실
1991. 8. 10
법제처

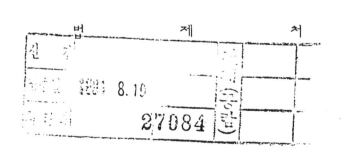

법   제   처

1991. 8. 10

27084

0053

외 무 부

번 호 : WUSF-0574 910817 1149 년월일 :   시간 :

수   신 : 주   미   대사(총영사)

발   신 : 외무부장관 (미일   )

제   목 : 노동관련 개정 법률안 재의 요구 사유

총 6 매 (표지포함)

보 안 통 제	
외신과 통제	

0054

勞動組合法 및 勞動爭議調整法中
改正法律案 再議要求 事由

1989. 3. 31

勞 動 部

0055

1. 勞動組合法中改正法律案

가. 再議要求 事由

o 改正法律案에는 公務員勞組許容등 아직은 우리의 產業社會와
勞動現實이 受容하기에 무리가 있는 條項들이 多數 包含되
어 있으며,

o 勞組設立申告書 接受 卽時 申告證을 交付토록 함으로써, 法
上 勞動組合이 아닌 경우에도 申告證을 交付할 수 밖에
없어 法條文間의 상충등 法執行面에서도 여러가지 問題가
豫想되어,

o 國會審議 過程에서도 政府와 與黨은 반대입장을 취한바 있
으므로, 再議要求를 하게된 것임.

나. 條項別 檢討

o 勞動組合法中改正法律案(이하 "法案"이라 한다) 第8條第1
項에서는 6級以下의 公務員을 包含한 모든 勤勞者는 自由로
이 勞動組合을 組織하거나 이에 加入할 수 있고 團體交涉을
할 수 있도록 하되, 다만, 現役軍人, 警察公務員, 矯正公務員,
消防公務員은 例外를 認定하고 있는 바,

— 1 —

0056

○ 公務員은 憲法上 國民에 대한 奉仕者로서 營利目的의 私企業
이나 다른 一般公共的 性格의 團體에 從事하는 勤勞者에 比
하여 公益追求目的이 현저한 業務에 從事하고 있으며, 公務員
의 勤務關係를 勞使關係의 側面에서 살펴볼 때 國民이 使用
者에 該當하므로 보수등 勤務與件의 向上으로 인한 負擔은
租稅등의 形態로 國民에게 귀착된다는 점을 勘案하지 않을수
없고, 한편 보수등 公務員의 勤務與件은 國會의 豫算이나 法
令에 의하여 民主主義的 方式으로 決定하도록 보장하고 있기
때문에 一般的인 勤勞關係에서 勤勞者의 權益을 保護하기 위
한 手段으로서 認定된 勞動3權을 굳이 公務員의 勤務關係에까
지 適用할 必要性이 적으며,

○ 또한 法案의 內容이 不明確한 점이 있어 執行에 있어서도
困難이 豫想되는 바, 예를들면 6급이하의 公務員이라는 표
현은 國家公務員法등 現行法上 一般職公務員의 경우를 基準으
로 範圍를 定한 것으로서 特定職公務員이나 그 밖의 公務員
에 있어서는 6級以下의 公務員의 範圍가 不明確하고,

○ 현행 勞動組合法 第8條 但書에서는 公務員의 團結權등에 대
하여는 따로 法律로 定하도록 하고 이에 따라 國家公務員法
第66條第1項 但書에서 事實上 勞務에 從事하는 公務員에게

― 2 ―

만 勞動運動을 許容하고 있는데 法案에서는 現行 勞動組合法의 同條 但書를 削除하고 6級以下 公務員을 包含한 모든 勤勞者에게 團結權·團體交涉權을 認定하면서도 國家公務員法의 內容은 그대로 둠으로써 2個의 法 相互間에 상충되는 점이 있으며,

○ 그 밖에도 法案 第15條에서는 行政官廳은 勞動組合의 設立申告書를 接受한 때에는 즉시 申告證을 交付하도록 하고 다만, 申告書에 具備書類의 未備 또는 記載事項의 漏落이 있는 경우에는 申告證을 交付하되, 10日以內에 是正 또는 補完을 命하도록 함으로써, 行政官廳이 勞動組合의 실체를 갖추고 있는지의 여부에 관하여 確認할 수 있는 최소한의 시간까지 가질 수 없도록 하고 그 결과 行政官廳은 이른바 어용노조등 勞動組合法 第3條 但書에 規定된 事由에 該當하는 경우에도 設立申告證을 交付할 수 밖에 있어 組織紛糾가 深化될 우려가 있으며, 그 外에도 委任節次 및 承認基準이 未備된 제3자 개입禁止規定 緩和, 使用者의 經營權과 결부된 勞組任員의 身分保障, 會議濫發의 우려가 있는 組合員의 직접 臨時總會(또는 代議員會)召集, 勞組任員의 전횡적운영에 대비하여 設定된 行政官廳의 資料提出·調査權 削除등 여러가지 執行上 問題點이 豫想된다고 할 것임.

— 3 —

64 한국 인권문제 미국 반응 및 동향 5

一　憲法 第33條第3項에서는 法律이 정하는 主要防衛産業體에 종사하는 勤勞者의 團體行動權은 法律이 정하는 바에 의하여 이를 제한하거나 인정하지 아니할 수 있도록 함으로써 防衛産業體에 종사하는 勤勞者의 團體行動權에 대하여는 다른 勤勞者의 團體行動權과 다른 取扱을 하도록 하고 있는 憲法의 취지에 어긋나는 것일뿐만 아니라,

一　南北分斷狀況이 지속되고 있는 現在로서는 국가안위와 直接 關聯되는 主要防衛産業體에 종사하는 勤勞者의 爭議行爲는 보다 嚴格하게 제한할 수 밖에 없고 法案에서처럼 公益事業에 준하여 適用함으로써 冷却期間을 다소 연장하거나 職權仲裁의 對象으로 하는 것만으로는 未洽하기 때문임.

— 5 —

0059

관리 번호 91-
1777

원 본

외　무　부

종　별 :

번　호 : USW-4074

일　시 : 91 0816 2025

수　신 : 장 관 (미일,국기,통이,노동부,법제처)

발　신 : 주 미국 대사

제　목 : OPIC 대응자료(ILO 관계등)

대: WUS-3550

연: USW-3679, 3936

1. 당관에서는 대호 OPIC 에 대한 대응및 기타 당지 노동단체등의 대아국 노동권 보호상황 비판에 대한 대응을 위하여 당지 전문 LAW FIRM 에 의뢰하여 아국의 노동권 보호개선 상황에 관한 자료를 준비중인바, 향후 아국의 노동권 보호개선 전망을 부각시키기 위해서도 ILO 가입시 개선이 예상되는 사항을 구체적으로 명시함이 필요할 것으로 사료되니, 하기 사항에 관한 구체 자료를 지급 FAX 편 송부바람.

　가. ILO 신규가입시 추가로 부담하는 법적, 제도적 의무사항

　나. 동 의무중 아국이 즉각 수락할 사항과 유보할 예정인 사항

　다. 기타 ILO 가입에 따른 아국의 노동권 개선 전망

　라. 명년중 ILO 가입 전망등

2. 아울러 연호 89.3 노동조합법 및 노동쟁의 조정법안 재의요구 당시 국무회의에 보고된 안건 전문(재의 요구 이유등)및 관보 게재 내용도 지급 FAX 송부바람. 끝.

　(대사 현홍주-국장)

　예고: 91.12.31. 까지

일반문서로 재분류(19 91 · 12 · 31 ·)

미주국	장관	차관	2차보	국기국	통상국	분석관	정와대	안기부
노동부	법제처							

PAGE 1

91.08.17　　10:13

외신 2과　통제관 BS

0060

분류번호	보존기간

발 신 전 보

번 호 : WUS-3742　910819 1841　종별 : _____

수 신 : 주　　미　　대사. 총영사////

발 신 : 장 관　　(미일)

제 목 : OPIC 대응자료

대 : USW - 3679, 3936, 4074

연 : WUS(F) - 0581

대호 법제처 송부 관보 게재내용을 연호로 Fax 송부함.　끝.

일반문서로 재분류(19○ . 12 .)

(미주국장　반기문)

		보 안 통 제	56.

앙 고 재	91 년 8 월 19 일	북미1과	기안자 성명	과 장	심의관	국 장		차 관	장 관		외신과통제
					전결						

0061

외 무 부

번 호 : WUSF-0581 910819 1758 FO   년월일 :   시간 :

수 신 : 주 미 대사(총영사)

발 신 : 외무부장관(미일)

제 목 : 노동 조합법 관계

총 53매 (표지포함)

보 안 통 제	上.8.
외신과 통 제	

1. 議決主文

勞動組合法中改正法律案 再議要求案을 別紙와 같이 議決한다.

2. 提案理由 및 主要骨子

1989年 3月 15日字로 國會로부터 政府에 移送되어온 勞動組合法中改正法律案은 別紙에 기재된 이유로 그 내용대로 公布하기 어렵다고 판단되어 憲法 第53條 第2項의 規定에 의하여 國會에 再議를 요구하려는 것임.

3. 參考事項

가. 關係法令 : 생 략

나. 合 議 :

다. 其 他 : 勞動組合法中改正法律案, 별첨

-1-

0063

勞動組合法中改正法律案再議要求案

1989年3月15日字로 國會로부터 政府에 移送되어온 勞動組合法中改正法律案은 다음과 같은 이유로 政府로서는 同 法案에 異議가 있어 憲法 第53條第2項의 規定에 의하여 國會의 再議를 요구하는 바입니다.

理　　　由

O 勞動組合法中改正法律案(이하 "法案"이라 한다) 第8條第1項에서는 6級이하의 公務員을 포함한 모든 勤勞者는 자유로이 勞動組合을 組織하거나 이에 加入할 수 있고 團體交涉을 할 수 있도록 하되, 다만 現役軍人·警察公務員·矯正公務員·消防公務員은 例外를 인정하고 있는 바.

O 公務員은 憲法上 國民에 대한 奉仕者로서 營利目的의 私企業이나 다른 一般公共的 性格의 團體에 종사하는 勤勞者에 비하여 公益追求目的이 현저한 業

-3-

0064

務에 종사하고 있으며, 公務員의 勤務關係를 勞使關係의 측면에서 살펴볼 때 國民이 使用者에 해당하므로 報酬등 勤務與件의 향상으로 인한 부담은 租稅등의 형태로 國民에게 귀착된다는 점을 감안하지 않을 수 없고, 한편 報酬등 公務員의 勤務與件은 國會의 豫算이나 法令에 의하여 民主主義的 方式으로 결정하도록 보장하고 있기 때문에 일반적인 勤勞關係에서 勤勞者의 權益을 보호하기 위한 수단으로서 인정된 勞動3權을 굳이 公務員의 勤務關係에까지 적용할 필요성이 적으며,

○ 또한 法案의 內容이 不明確한 점이 있어 執行에 있어서도 곤란이 예상되는 바, 예를 들면 6級이하의 公務員이라는 표현은 國家公務員法등 現行法上 一般職公務員의 경우를 기준으로 범위를 정한 것으로서 特定職公務員이나 그 밖의 公務員에 있어서는 6級이하의 公務員의 범위가 不明確하고,

○ 現行 勞動組合法 第8條但書에서는 公務員의 團結權

등에 대하여는 따로 法律로 정하도록 하고 이에
따라 國家公務員法 第66條第1項但書에서 事實上 勞
務에 종사하는 公務員에게만 勞動運動을 허용하고 있
는데 法案에서는 現行 勞動組合法의 同條但書를 削
除하고 6級이하 公務員을 포함한 모든 勤勞者에게
團結權·團體交涉權을 인정하면서도 國家公務員法의 내
용은 그대로 둠으로써 2개의 法 상호간에 相衝되
는 점이 있으며,

○ 그 밖에도 法案 第15條에서는 行政官廳은 勞動組合
의 設立申告書를 接受한 때에는 즉시 申告證을 交
付하도록 하고 다만 申告書에 具備書類의 미비 또
는 記載事項의 漏落이 있는 경우에는 申告證을 交
付하되 10日이내에 是正 또는 補完을 命하도록 함
으로써, 行政官廳이 勞動組合의 實體를 갖추고 있는
지의 여부에 관하여 확인할 수 있는 최소한의 時
間까지 가질 수 없도록 하고 그 결과 行政官廳은
이른바 御用勞組등 勞動組合法 第3條但書에 規定된

-5-

0066

事由에 해당하는 경우에도 設立申告證을 交付할 수
밖에 없어 組織紛糾가 심화될 우려가 있는 등 執
行上 여러가지 問題點이 예상된다고 할 것입니다.

0067

法律　第　　號

勞動組合法中改正法律案

勞動組合法중　다음과　같이　改正한다.

第1條중　"勤勞者의　勤勞條件을　維持，改善하고　勤勞
者의　福祉를　增進함으로써"를　"勤勞者의　勤勞條件을
유지·개선함으로써"로　한다.

第3條중　"勤勞條件의　維持，改善과　勤勞者의　福祉增
進　其他　經濟的，社會的　地位向上"을　"勤勞條件의　유
지·개선　기타　經濟的·社會的　地位의　향상"으로　한다.

第8條第1項을　다음과　같이하고，同條에　第2項을　다
음과　같이　新設한다.

①6級　이하의　公務員을　포함한　모든　勤勞者는　自由
로이·勞動組合을　組織하거나　이에　加入할　수　있고
團體交涉을　할　수　있다.　다만，現役軍人·警察公務
員·矯正公務員·消防公務員은　그러하지　아니하다.

②勤勞者는　勞動組合에　加入願書를　제출한　때에
組合員의　資格을　얻는다.

第12條를　削除한다.

第12條의2중　"勞動組合"을　"勞動組合，당해　勞動組
合의　委任을　받은　辯護士　및　公認勞務士의　資格을
가진　者와　勞動委員會의　승인을　얻은　者"로　한다.

0068

-7-

第13條第4項을 다음과 같이 新設한다.

④勞動組合은 設立申告를 한 때로부터 설립된 것으로 본다.

第15條중 "3日以內에 大統領令이 정하는 바에 의하여 申告證을 交付하여야 한다."를 "즉시 申告證을 교부하여야 한다. 다만 申告書에 具備書類의 미비 또는 기재사항의 漏落이 있는 경우에는 申告證을 교부하되 10日 이내에 是正 또는 補完을 命하여야 한다."로 한다.

第18條第1項을 다음과 같이 한다.

第18條(總會의 開催) ①勞動組合은 매년 1回 이상 總會를 開催하여야 한다.

第19條第1項 但書를 削除하고, 同條第3項중 "任員의 選擧는"을 "任員의 選擧·解任 및 組合員의 除名은"으로 한다.

第23條의 2를 다음과 같이 新設한다.

第23條의 2(任員의 身分保障) ①勞動組合 任員의 人事에 관하여 使用者는 미리 그 勞動組合의 同意를 얻어야 한다.

②第1項의 規定에 의한 任員의 범위는 大統領令으로 정한다.

第26條 第3項 및 第4項을 각각 다음과 같이 한다.

③勞動組合의 代表者가 第2項의 規定에 의한 會議의 召集을 요구받고도 정당한 이유없이 7日이 지나도록 會議의 召集公告를 하지 아니할 때에는 召集을 요구

0069

한 組合員·代議員 또는 構成團體는 行政官廳으로부터 召集權者를 指名받아 직접 會議를 召集할 수 있다.

行政官廳은 召集權者 指名要求를 받은 경우 7日 이내에 總會 또는 代議員會의 召集權者를 指名하여야 하며, 行政官廳이 정당한 이유없이 召集權者를 指名하지 아니할 때에는 召集을 요구한 組合員·代議員 또는 構成團體는 직접 會議를 召集할 수 있다. 이때 會議의 召集權者는 召集을 요구한 組合員이나 代議員 또는 그 構成團體가 選出한 代表로 한다.

④ 당해 勞動組合에 總會 또는 代議員會의 召集權者가 없는 경우에도 第3項과 같다.

第30條를 削除한다.

第31條第1項第3號를 다음과 같이 하고, 同條同項第4號 중 "2年以上"을 "1年 이상"으로 한다.

   3. 組合員 또는 構成團體의 3分의 2 이상의 출석과 출석한 組合員 또는 構成團體의 3分의 2 이상의 贊成으로 행한 總會의 解散決議

第33條第1項 但書를 削除하고, 同條第3項을 다음과 같이 한다.

③ 勞動組合은 第1項의 規定에 의하여 交涉을 委任한 때에는 지체없이 다음 各號의 사항을 相對方에게 통지하여야 한다.

   1. 受任人의 住所·姓名·職業(團體인 경우에는 그

0070

-9-

名稱·住所 및 代表者의 姓名）

  2. 委任의 범위

第34條第3項중 "違法不當한"을 "違法한"으로 하고, "取消를"을 "補完을"으로 한다.

第35條第1項 但書를 削除하고, 同條第2項중 "그 有效期間은 2年(賃金協約의 경우에는 1年)으로 한다"를 "그 有效期間은 1年으로 한다"로 한다.

第45條의 2중 "第12條 또는 第12條의 2의"를 "第12條의 2의"로 한다.

第47條를 削除한다.

第49條第4號를 다음과 같이 新設한다.

  4. 勞動組合의 代表者가 第26條第2項에 의한 會議의 召集을 고의로 기피하거나 해태한 때

附 則

①(施行日) 이 法은 公布한 날부터 施行한다.

②(經過措置) 이 法 施行전에 체결된 團體協約의 有效期間은 그 團體協約에서 정한 有效期間 滿了日까지로 한다.

) 0071

대 한 민 국 국 회

의　　안 : 제 *1068* 호　　　　1989 ．3 ． *15* ．

수　　신 : 대　통　령

참　　조 : 법 제 처 장

제　　목 : 勞 動 組 合 法 中 改 正 法 律 안 이송

　　　　1989．3．9 노 동 위원장이 제안한

위의 법률안이 1989. 3. 9 145회 국회 (임시회)

제 9 차 본회의에서 별첨과 같이 의결되었으므로

국회법 제91조의 규정에 의거하여 이를 이송합니

다.

유　　첨 : 勞 動 組 合 法 中 改 正 法 律 안 (2

국　　회　　의

0072

法律 第　　　　號

勞動組合法中改正法律案

勞動組合法중 다음과 같이 改正한다.

第1條중 "勤勞者의　勤勞條件을　維持, 改善하고　勤勞者의　福祉를　增進함으로써"를　"勤勞者의　勤勞條件을　유지·개선함으로써"로　한다.

第3條중 "勤勞條件의　維持, 改善과　勤勞者의　福祉增進　其他　經濟的, 社會的　地位向上"을　"勤勞條件의　유지·개선　기타　經濟的·社會的　地位의　향상"으로　한다.

第8條第1項을　다음과　같이하고, 同條에　第2項을　다음과　같이　新設한다.

　①6級　이하의　公務員을　포함한　모든　勤勞者는　自由로이　勞動組合을　組織하거나　이에　加入할　수　있고　團體交涉을　할　수　있다.　다만, 現役軍人·警察公務員·矯正公務員·消防公務員은　그러하지　아니하다.

　②勤勞者는　勞動組合에　加入願書를　제출한　때에　組合員의　資格을　얻는다.

第12條를　削除한다.

第12條의2중 "勞動組合"을　"勞動組合, 당해　勞動組合의　委任을　받은　辯護士　및　公認勞務士의　資格을　가진　者와　勞動委員會의　승인을　얻은　者"로　한다.

0073

－1－

第13條第4項을 　음과 같이 新設한다.

④勞動組合은 設立申告를 한 때로부터 설립된 것으로 본다.

第15條중 " 3 日以內에 大統領令이 정하는 바에 의하여 申告證을 交付하여야 한다."를 "즉시 申告證을 교부하여야 한다. 다만 申告書에 具備書類의 미비 또는 기재사항의 漏落이 있는 경우에는 申告證을 교부하되 10 日 이내에 是正 또는 補完을 命하여야 한다."로 한다.

第18條第1項을 다음과 같이 한다.

第18條(總會의 開催) ①勞動組合은 매년 1回 이상 總會를 開催하여야 한다.

第19條第1項 但書를 削除하고, 同條第3項중 "任員의 選擧는"을 "任員의 選擧·解任 및 組合員의 除名은"으로 한다.

第23條의 2를 다음과 같이 新設한다.

第23條의 2(任員의 身分保障) ①勞動組合 任員의 人事에 관하여 使用者는 미리 그 勞動組合의 同意를 얻어야 한다.

②第1項의 規定에 의한 任員의 범위는 大統領令으로 정한다.

第26條 第3項 및 第4項을 각각 다음과 같이 한다.

③勞動組合의 代表者가 第2項의 規定에 의한 會議의 召集을 요구받고도 정당한 이유없이 7 日이 지나도록 會議의 召集公告를 하지 아니할 때에는 召集을 요구

0074

한 組合員·代議員 또는 構成團體는 行政官廳으로부터 召集權者를 指名받아 직접 會議를 召集할 수 있다. 行政官廳은 召集權者 指名要求를 받은 경우 7日 이내에 總會 또는 代議員會의 召集權者를 指名하여야 하며, 行政官廳이 정당한 이유없이 召集權者를 指名하지 아니할 때에는 召集을 요구한 組合員·代議員 또는 構成團體는 직접 會議를 召集할 수 있다. 이때 會議의 召集權者는 召集을 요구한 組合員이나 代議員 또는 그 構成團體가 選出한 代表로 한다.

④당해 勞動組合에 總會 또는 代議員會의 召集權者가 없는 경우에도 第3項과 같다.

第30條를 削除한다.

第31條第1項第3號를 다음과 같이 하고, 同條同項第4號 중 "2年以上"을 "1年 이상"으로 한다.

　3. 組合員 또는 構成團體의 3分의 2 이상의 출석과 출석한 組合員 또는 構成團體의 3分의 2 이상의 贊成으로 행한 總會의 解散決議

第33條第1項 但書를 削除하고, 同條第3項을 다음과 같이 한다.

③勞動組合은 第1項의 規定에 의하여 交涉을 委任한 때에는 지체없이 다음 各號의 사항을 相對方에게 통지하여야 한다.

　1. 受任人의 住所·姓名·職業(團體인 경우에는 그

－ 3 －

0075

名稱·住所 및 代表者의 姓名)

2. 委任의 범위

第34條第3項중 "違法不當한"을 "違法한"으로 하고, "取消를"을 "補完을"으로 한다.

第35條第1項 但書를 削除하고, 同條第2項중 "그 有效期間은 2年(賃金協約의 경우에는 1年)으로 한다"를 "그 有效期間은 1年으로 한다"로 한다.

第45條의 2중 "第12條 또는 第12條의 2의"를 "第12條의 2의"로 한다.

第47條를 削除한다.

第49條第4號를 다음과 같이 新設한다.

4. 勞動組合의 代表者가 第26條第2項에 의한 會議의 召集을 고의로 기피하거나 해태한 때

附 則

①(施行日) 이 法은 公布한 날부터 施行한다.

②(經過措置) 이 法 施行전에 체결된 團體協約의 有效期間은 그 團體協約에서 정한 有效期間 滿了日까지로 한다.

)

) 0076

1. 議決主文

勞動爭議調整法中改正法律案 再議要求案을 別紙와 같
이 議決한다.

2. 提案理由 및 主要骨子

1989年 3月 15日字로 國會로부터 政府에 移送되어온
勞動爭議調整法中改正法律案은 別紙에 기재된 이유로
그 내용대로 公布하기 어렵다고 판단되어 憲法 第
53條 第2項의 規定에 의하여 國會에 再議를 요구하
려는 것임.

3. 參考事項

가. 關係法令 : 생 략

나. 合 議 :

다. 기 타 : 勞動爭議調整法中改正法律案, 별첨

-1-

0077

勞動爭議調整法中改正法律案 再議要求案

1989年3月15日字로 國會로부터 政府에 移送되어온 勞動爭議調整法中改正法律案은 다음과 같은 이유로 政府 로서는 同 法案에 異議가 있어 憲法 第53條第2項의 規定에 의하여 國會의 再議를 요구하는 바입니다.

理 由

O 法案 第12條第3項에서 防衛產業에관한特別措置法에 의하여 指定된 防衛產業體에 종사하는 勤勞者의 爭 議行爲에 대하여는 公益事業에 준하여 同法을 適用 하도록 하였으나,

O 憲法 第33條第3項에서는 法律이 정하는 主要防衛 產業體에 종사하는 勤勞者의 團體行動權은 法律이 정하는 바에 의하여 이를 제한하거나 인정하지 아 니할 수 있도록 함으로써 防衛產業體에 종사하는 勤勞者의 團體行動權에 대하여서는 다른 勤勞者의

-3-

0078

團體行動權과 다른 取扱을 하도록 하고 있는 憲法
의 趣旨에 어긋나는 것일 뿐만 아니라,

○ 南北分斷狀況이 지속되고 있는 현재로서는 國家安危
와 직접 관련되는 主要防衛産業體에 종사하는 勤勞
者의 爭議行爲는 보다 嚴格하게 제한 할 수 밖에
없고 法案에서 처럼 公益事業에 준하여 適用함으로
써 冷却期間을 다소 延長하거나 職權仲裁의 對象으
로 하는 것만으로는 未洽하다고 할 것입니다.

) 0079

法律 第　　號

勞動爭議調整法中改正法律案

勞動爭議調整法중 다음과 같이 改正한다.

第1條를 다음과 같이한다.

第1條(目的) 이 法은 勞動關係의 공정한 調整을 도
모하고 勞使間의 勞動爭議를 自主的으로 解決하는 것
을 보장함으로써 産業平和의 유지와 國民經濟發展에
기여함을 目的으로 한다.

第5條를 다음과 같이 한다.

第5條(當事者의 責務) 勞動關係當事者는 勞動爭議가
발생한 때에는 自主的으로 解決하도록 努力하여야
한다.

第12條第2項을 다음과 같이 하고, 同條第3項을 第4
項으로 하며, 同條에 第3項을 다음과 같이 新設한다.

②國家·地方自治團體에 종사하는 勤勞者는 爭議行爲
를 할 수 없다.

-5-

0080

③防衛産業에 관한 特別措置法에 의하여 지정된 防衛産業體에 종사하는 勤勞者의 爭議行爲에 대하여는 公益事業에 준하여 이 法을 適用한다.

第13條의 2중 "聯合團體인 勞動組合의"를 "聯合團體인 勞動組合과 당해 勞動組合의 委任을 받은 辯護士나 公認勞務士의 資格을 가진 者와 勞動委員會의 승인을 얻은 者의"로 한다.

第17條를 다음과 같이 한다.

第17條(職場閉鎖의 요건) 使用者는 勞動組合이 爭議行爲를 開始한 이후 5日이 경과하여야만 職場閉鎖를 할 수 있고, 이 경우 行政官廳과 勞動委員會에 각각 申告하여야 한다.

第45條의 2중 "第12條第2項, 第3項"을 "第12條第2項·第4項"으로 한다.

附　　　則

이 法은 公布한 날부터 施行한다.

0081

대한민국국회

의　　안 : 제 _1066_ 호　　　　　1989 . 3 . _15_ .

수　　신 : 대　통　령

참　　조 : 법　제　처　장

제　　목 : 勞動爭議調整法中改正法律안 이송

　　　　　1989. 3. 8 　　　노동위원장이 제안한

위의 법률안이 1989. 3. 9　제145회 국회(임시회)

제 9 차 본회의에서 별첨과 같이 의결되었으므로

국회법 제91조의 규정에 의하여 이를 이송합니

다.

유　　　첨 : 勞動爭議調整法中改正法律안 (2부)

국　　　회　　　의

0082

法律 第　　　號

勞動爭議調整法中改正法律案

勞動爭議調整法중　다음과　같이　改正한다.

第1條를　다음과　같이한다.

第1條（目的）　이　法은　勞動關係의　공정한　調整을　도
　모하고　勞使間의　勞動爭議를　自主的으로　解決하는　것
　을　보장함으로써　産業平和의　유지와　國民經濟發展에
　기여함을　目的으로　한다.

第5條를　다음과　같이　한다.

第5條（當事者의　責務）　勞動關係當事者는　勞動爭議가
　발생한　때에는　自主的으로　解決하도록　努力하여야
　한다.

第12條第2項을　다음과　같이　하고,　同條第3項을　第4
項으로　하며,　同條에　第3項을　다음과　같이　新設한다.

②國家・地方自治團體에　종사하는　勤勞者는　爭議行爲
를　할　수　없다.

-1-

0083

③防衛産業에 관한 特別措置法에 의하여 시정된 防

衛産業體에 종사하는 勤勞者의 爭議行爲에 대하여는

公益事業에 준하여 이 法을 適用한다.

第13條의 2중 "聯合團體인 勞動組合의"를 "聯合團體

인 勞動組合과 당해 勞動組合의 委任을 받은 辯護士나

公認勞務士의 資格을 가진 者와 勞動委員會의 승인을

얻은 者의"로 한다.

第17條를 다음과 같이 한다.

第17條(職場閉鎖의 요건) 使用者는 勞動組合이 爭

議行爲를 開始한 이후 5日이 경과하여야만 職場閉

鎖를 할 수 있고, 이 경우 行政官廳과 勞動委員會

에 각각 申告하여야 한다.

第45條의 2중 "第12條第2項, 第3項"을 "第12條

第2項·第4項"으로 한다.

                        附   則

이 法은 公布한 날부터 施行한다.

0084

勞動組合法中改正法律案(代案)

<table>
<tr><td>議 案
番 號</td><td></td></tr>
</table>

提案年月日 : 1989. 3.
提 案 者 : 勞動委員長

1. 代案의 提案經緯

가. 勞動組合法中改正法律案이 1988年 11月 25日 李相洙議員外 70人으로부터 發議된 후 同年 12月 5日 李仁濟・盧武鉉・鄭貞蕙議員外 57人, 1989年 1月 25日 金炳龍議員外 34人이 各各 發議하여 3個法案이 當委員會에 回附되어 왔음.

나. 當委員會에서는 回附된 3個改正法律案中 2個改正法律案(李相洙議員外 70人, 李仁濟・盧武鉉・鄭貞蕙議員外 57人發議)에 대하여 1988年 12月 13日 第144回 國會(定期會) 第12次 委員會에서 提案說明과 專門委員의 檢討報告를 各各 듣고, 勞動關係法案審查小委員會를 構成하여 同 改正法律案을 審查報告하도록 하였으며, 1個改正法律案(金炳龍議員外 34人 發議)에 대하여는 1989年 2月 20日 第145回 國會(臨時會) 第1次 委員

— 1 —

0085

會에서 提案說明과 專門委員의 檢討報告를 듣고,
이미 構成되어 있는 法案審査小委員會에서 倂合
審査하도록 하였음.

다. 法案審査小委員會는 6次('89年 2月 15日, 17日,
23日, 3月 3日, 4日, 6日)에 걸쳐 同 法案을 眞摯
하게 審査한 결과, 1個의 法律에 대하여 3個
의 改正法律案이 提出되었으므로 改正案 內容을
統合하여 單一案을 마련하였으나 ✓民主正義黨側에
서는 反對意見을 提示함으로써 結局 平和民主黨,
統一民主黨, 新民主共和黨의 3黨合意案으로 하여
1989年 3月 7日 第145回國會(臨時會) ✓ 第6次
委員會에 報告하여 議決함으로써 3個法律案을
各各 廢棄하고 委員會의 代案으로 本法案을 提
出하게 되었음.

2. 代案提案理由

現役軍人, 警察公務員, 矯正職公務員, 消防公務員을
除外한 6級以下公務員의 勞動組合 結成을 認定하고,
勞動組合의 政治活動禁止條項을 削除함과 함께 第3
者介入禁止條項을 緩和함으로써 勤勞者의 團結權 및
團體交涉權을 보다 實質的으로 保障할 수 있도록
하였음.

0086

또한 勞動組合總會의 議決事項 및 臨時總會召集節
次의 補强등을 통하여 勞動組合이 多數의 意思에
의하여 運營될 수 있도록 하기 위한 것임.

3. 代案의 主要骨子

가. 6級以下 公務員의 勞動組合組織 및 加入과 團
體交涉權을 認定함(案 第8條).

나. 勞動組合을 設立申告를 한 때로부터 成立하도록
함(案 第13條第4項).

다. 第3者介入禁止 除外範疇에 勞動組合의 委任을
받은 辯護士 및 公認勞務士와 勞動委員會의 承認을
얻은 者를 포함함(案 第13條의 2).

라. 勞動組合設立申告書를 接受한 때에는 즉시 申告
證을 交付하도록 함(案 第15條).

마. 勞動組合은 매년 1回以上 總會를 開催하도록
함(案 第18條).

바. 勞動組合任員의 身分保障에 관한 條項을 新設함
(案 第23條의 2).

사. 勞動組合의 代表者가 정당한 이유없이 總會 또
는 代議員會의 召集을 기피하는 경우와 總會 또
는 代議員會의 召集權者가 없는 경우에 組合員이
主體가 되어 會議를 신속하게 召集하는 節次를

0087

- 3 -

規定함 (案 第26條).

아. 勞動組合의 任員이 없고 勞動組合活動을 하지 아
 니하는 勞動組合의 解散事由를 2年에서 1年으로
 短縮함 (案 第31條第1項第4號).

자. 團體協約의 有效期間을 2年에서 1年으로 短縮함
 (案 第35條第2項).

0088

法律　第　　　　號

勞動組合法中改正法律案

勞動組合法中　다음과　같이　改正한다.

第1條중　"勤勞者의　勤勞條件을　維持, 改善하고　勤勞
者의　福祉를　增進함으로써"를　"勤勞者의　勤勞條件을
維持, 改善함으로써"로　한다.

第3條중　"勤勞條件의　維持, 改善과　勤勞者의　福祉增
進　其他　經濟的, 社會的　地位向上"을　"勤勞條件의　維
持, 改善　기타　經濟的, 社會的　地位의　向上"으로　한다.

第8條第1項을　다음과　같이하고, 同條　第2項을　다음과
같이　新設한다.

　①6級以下의　公務員을　包含한　모든　勤勞者는　自由
로이　勞動組合을　組織하거나　이에　加入할　수　있고
團體交涉을　할　수　있다.　　다만, 現役軍人, 警察公務
員, 矯正公務員, 消防公務員은　그러하지　아니하다.

　②勤勞者는　勞動組合에　加入願書를　提出한　　때에
組合員의　資格을　얻는다.

第12條를　削除한다.

第12條의 2중　"勞動組合"을　"勞動組合, 當該勞動組
合의　委任을　받은　辯護士및　公認勞務士의　資格을

가진　者와　勞動委員會의　承認을　얻은　者"로　한다. 0089

－ 5 －

第13條第4項을 내음과 같이 新設한다.

④勞動組合은 設立申告를 한 때로부터 설립된 것으로 본다.

第15條중 "3日以內에 大統領令이 정하는 바에 의하여 申告證을 交付하여야 한다"를 "즉시 申告證을 交付하여야 한다. 다만 申告書에 具備書類의 미비 또는 記載事項의 漏落이 있는 경우에는 申告證을 交付하되 10日以內에 是正 또는 補完을 命하여야 한다"로 한다.

第18條第1項을 다음과 같이 한다.

第18條(總會의 開催) ①勞動組合은 매년 1回以上 總會를 開催하여야 한다.

第19條第1項의 但書를 削除하고, 同條 第3項중 "任員의 選擧는"을 "任員의 選擧·解任 및 組合員의 除名은"으로 한다.

第23條의2를 다음과 같이 新設한다.

第23條의2(任員의 身分保障) ①勞動組合 任員의 人事에 관하여 使用者는 미리 그 勞動組合의 同意를 얻어야 한다.

②第1項의 規定에 의한 임원의 범위는 大統領令으로 정한다.

第26條 第3項 및 第4項을 다음과 같이한다.

③勞動組合의 代表者가 第2項의 規定에 의한 會議의 召集을 요구받고도 正當한 이유없이 7日이 지나도록 會議의 召集 公告를 하지 아니할 때에는 召集을 요구

0090

96 한국 인권문제 미국 반응 및 동향 5

한 組合員·代議員 또는 構成團體는 行政官廳으로부터 召集權者를 指名받아 直接 會議를 召集할 수 있다. 行政官廳은 召集權者 指名要求를 받은 경우 7日이내에 總會 또는 代議員會의 召集權者를 指名하여야 하며 行政官廳이 정당한 理由없이 召集權者를 指名하지 아니할 때에는 召集을 要求한 組合員·代議員 또는 構成團體는 직접 會議를 召集할 수 있다. 이때 會議의 召集權者는 召集을 要求한 組合員이나 代議員 또는 그 構成團體가 選出한 代表로 한다.

④當該 勞動組合에 總會 또는 代議員會의 召集權者가 없는 경우에도 第3項과 같다.

第30條를 削除한다.

第31條 第1項 第3號를 다음과 같이 하고, 同項 第4號 중 "2年以上"을 "1年以上"으로 한다.

　3. 組合員 또는 構成團體의 3분의 2이상의 出席과 出席한 組合員 또는 構成團體의 3분의 2이상의 贊成으로 행한 總會의 解散決議

第33條 第1項의 녀晝를 削除하고, 同條 第3項을 다음과 같이 한다.

③勞動組合은 第1項의 規定에 의하여 交涉을 委任한 때에는 지체없이 다음 各號의 事項을 相對方에게 通知하여야 한다.

　1. 受任人의 住所, 姓名, 職業(團體인 경우에는 그

- 7 -　　　　　　0091

名稱, 住所 및 代表者의 姓名)

2. 委任의 範圍

第 34 條 第 3 項중 "違法不當한"을 "違法한"으로 하고,

"取消를"을 "補完을"으로 한다.

第 35 條 第 1 項 但書를 削除하고, 同條 第 2 項중 "그

有效期間은 2 年 (賃金協約의 경우에는 1 年)으로 한다"

를 "그 有效期間은 1 年으로 한다"로 한다.

第 45 條의 2 중 "第 12 條 또는 第 12 條의 2 의"를 "第 12

條의 2 의"로 한다.

第 47 條를 削除한다.

第 49 條 第 4 號를 다음과 같이 新設한다.

4. 勞動組合의 代表者가 第 26 條 第 2 項에 의한 會議의

召集을 고의로 忌避하거나 해태한 때

附 則

①(施行日) 이 法은 公布한 날부터 施行한다.

②(經過措置) 이 法 施行前에 체결된 團體協約의 有效

期間은 그 團體協約에서 定한 有效期間 滿了日까지로

한다.

0092

條 文 對 比 表

現　行	改 正 案
第1條 (目的) 이 法은 憲法에 의거하여 勤勞者의 自主的인 團結權, 團體交涉權과 團體行動權을 保障하며, <u>勤勞者의 勤勞條件을 維持, 改善하고 勤勞者의 福祉를 增進함으로써</u> 그 經濟的, 社會的地位의 向上과 國民經濟의 發展에 寄與함을 目的으로 한다.	第1條 (目的) ······························ ·································· ·································· <u>勤勞者의 勤勞條件을 維持, 改善함으로써</u> ·············· ·································· ·································· ·································· ·························· .
第3條 (勞動組合의 定義) 이 法에서 " 勞動組合 "이라 함은 勤勞者가 主體가 되어 自主的으로 團結하여 勤勞條件의 維持, 改善과 勤勞者의 福祉增進 其他 經	第3條 (勞動組合의 定義) ·································· ·································· ·································· <u>勤勞條件의 維持, 改善 기타 經濟的, 社會的地位의 向上을</u>

- 9 -

0093

現　　　　行	改　正　案
濟的, 社會的地位의　向上을 圖謀함을　目的으로　組織하는　團體　또는　그　聯合團體를　말한다.	．．．．．．．．．．．．．．．．．．．．．．． ．．．．．．．．．．．．．．．．．．．．．．． ．．．．．．．．．．．．．．．．．．．．．．． ．．．．．．．．．．．．
第8條 (勞動組合의　組織과　加入의　制限)　勤勞者는　自由로이　勞動組合을　組織하거나　이에　加入할　수　있다.　다만, 公務員에　대하여는　따로　法律로　정한다.	第8條 (勞動組合의　組織과　加入의　制限)　①6級以下의　公務員을　包含한　모든　勤勞者는　自由로이　勞動組合을　組織하거나　이에　加入할　수　있고　團體交渉을　할　수　있다.　다만, 現役軍人, 警察公務員, 矯正公務員, 消防公務員은　그러하지　아니하다.
(新　設)	②勤勞者는　勞動組合에　加入願書를　提出한　때에　組合員의　資格을　얻는다.

0094

第12條 (政治活動의 禁止)	(削 除)
①勞動組合은 公職選擧에 있어서 特定政黨을 支持하거나 特定人을 당선시키기 위한 行爲를 할 수 없다.	
②勞動組合은 組合員으로부터 政治資金을 徵收할 수 없다.	
③勞動組合基金을 政治資金에 流用할 수 없다.	
第12條의 2 (第3者 介入禁止)	第12條의 2 (第3者 介入禁止)
直接 勤勞關係를 맺고 있는 勤勞者나 當該 勞動組合 또는 法令에 의하여 正當한 權限을 가진 者를 除外하고는 누구든지 勞動組合의 設立과 解散, 勞動組合에의	....

- 11 -

0095

現　　　行	改　正　案
加入·脫退 및 使用者와의 國體交涉에 관하여 關係當事者를 操縱·煽動·妨害하거나 기타 이에 影響을 미칠 目的으로 介入하는 行爲를 하여서는 아니된다. 다만, 總聯合團體인 勞動組合 또는 當該 勞動組合이 加入한 産業別 聯合團體인 勞動組合의 경우에는 第3者 介入으로 보지 아니한다	·· ·· ·· ·· ·· ·· ·· ·· 勞動組合, 當該 勞動組合의 委任을 받은 辯護士 및 公認勞務士의 자격을 가진 자와 勞動委員會의 承認을 얻은 자의·········· ··
第13條 (勞動組合의 設立) ①～③ (省略)	第13條 (勞動組合의 設立) ①～③ (現行과 同一)

0096

（新　設）

第15條（申告證）　行政官廳
은　第13條第1項의　規定에
의한　設立申告書를　接受한
때에는　3日이내에　大統領
令이　정하는　바에　의하여　申
告證을　交付하여야　한다.

第18條（總會의　開催）①單
位勞動組合은　매년　1회,
聯合團體인　勞動組合은　3
년마다　1회이상　總會를　開

④勞動組合은　設立申告를　한
때로부터　설립된　것으로　본다.

第15條（申告證）　…………
……………………………………
……………………………………
……………………………………
………즉시　申告證을　交付
하여야　한다.　다만,　申告
書에　具備書類의　미비　또
는　記載事項의　漏落이　있
는　경우에는　申告證을　交
付하되　10日이내에　是正
또는　補完을　命하여야
한다.

第18條（總會의　開催）①勞
動組合은　매년　1회이상　總
會를　開催하여야　한다.

- 13 -

0097

現　　　　行	改　　正　　案
催하여야 한다.	
②（省　略）	②（現行과　同一）
第19條（總會의　議決事項）	第19條（總會의　議決事項）
①다음　各號의　사항은　總會의　議決을　거쳐야　한다. 다만, 聯合團體인　勞動組合의　경우　第3號　및　第4號의　사항은　總會가　없는　年度에는　規約으로 정한　機構의　議決로　總會의　議決에　갈음할　수　있다.	①⋯⋯⋯⋯⋯⋯⋯⋯⋯⋯⋯ ⋯⋯⋯⋯⋯⋯⋯⋯⋯⋯⋯ （但書　削除）
1.～9.（省略）	1.～9.（現行과　같음）
②（省　略）	②（現行과　같음）
③規約의　制定·變更과　任員의　選擧는　組合員의　直接·秘密·無記名　投票에　의하여야　한다.	③⋯⋯⋯⋯⋯⋯⋯任員의　選擧·解任　및　組合員의　除名은⋯⋯⋯⋯ ⋯⋯⋯⋯⋯

0098

（ 新 設 ）	第23條의 2 （ 任員의 身分保障 ）
	①勞動組合任員의 人事에 관
	하여 使用者는 미리 그 勞
	動組合의 同意를 얻어야 한다.
	②第1項의 規定에 의한 任員의
	범위는 大統領令으로 정한다.
第26條 （ 臨時總會의 召集 ）	第26條 （ 臨時總會의 召集 ）
① , ② （ 省略 ）	① , ② （ 現行과 같음 ）
③行政官廳은 勞動組合의	③勞動組合의 代表者가 第
代表者가 第2項의 規定에	2項의 規定에 의한 會議의
의한 會議의 召集을 고의	召集을 요구받고도 正當한
로 忌避하거나 이를 해태	이유없이 7日이 지나도록
한 경우에는 勞動委員會의	會議의 召集 公告를 하지
승인을 얻어 召集할 자를	아니할 때에는 召集을 요구한 組
指名하여 會議를 召集하게	合員·代議員 또는 構成團體는 行
할 수 있다.	政官廳으로부터 召集權者를 指名
	받아 直接 會議를 召集할수 있다.
	行政官廳은 召集權者 指
	名要求를 받은 경우 7日
	이내에 總會 또는 代議員會

現　　　　行	改　正　案
	의　召集權者를　指名하여야 하며　行政官廳이　정당한　理由없이　召集權者를 指名하지　아니할　때에는　召集을　要求한　組合員·代議員　또는　構成團體는　직접　會議를　召集할 수　있다.　이때　會議의 召集權者는　召集을　요구한 組合員이나　代議員　또는 그　構成團體가　選出한　代表로　한다.
④당해 勞動組合에 總會 또는 代議員會의　召集權者가 없는　경우에　組合員 또는 代議員의　3분의　1 이상이 會議에　부의할　사항을　提	④當該　勞動組合에　總會 또는　代議員會의　召集權者 가　없는　경우에도　第3項 과　같다.

0100

示하고 行政官廳에 總會 또는 代議員會의 召集權者 指名을 요구한 때에는 行政官廳은 召集할 자를 指名하여 會議를 召集하게 할 수 있다.	
第30條 (資料의 提出) 行政官廳은 필요하다고 인정할 때에는 勞動組合의 經理狀況 기타 關係書類를 提出하게 하여 調査할 수 있다.	(削 除)
第31條 (解散事由) ①勞動組合은 다음 各號의 1에 該當하는 事由로 解散한다. 1～2. (省 略) 3. 組合員 또는 代議員 3分의 2 以上의 出席과 出席한 組合員 또는	第31條 (解散事由) ①……………………… ……………………… ……… 1～2. (現行과 같음) 3. 組合員 또는 構成團體의 3분의 2 이상의 出席과 出席한 組合員

0101

- 17 -

現　　　　行	改　正　案
代議員　3分의　2　以上의　贊成으로　行한　總會　또는　代議員會의　解產決議.	또는　構成團體의　3분의　2　이상의　贊成으로　행한　總會의　解散決議
4. 勞動組合의　任員이　없고　勞動組合으로서의　活動을　2年이상　하지　아니한　경우	4. ……………………………………………………………………………………………… 1年以上…………………………………………
第33條(交涉權限)　①勞動組合의　代表者　또는　勞動組合으로부터　委任을　받은　자는　그　勞動組合　또는　組合員을　위하여　使用者나　使用者　團體와　團體協約의　締結　기타의　사항에　관하여　交涉할　權限이　있다. 다만, 使用者　團體와의　交涉에　있어서는　單位勞動組合의　代表者中에서　그　代表者를　選定하거나　연명으로　交涉할　수　있다. ②(省　略)	第33條(交涉權限)　①…… (但書削除) ②(現行과　같음)

0102

③勞動組合은 第2項의 規定에 의하여 交涉을 委任한 때에는 그 事由를 使用者 또는 使用者團體 및 行政官廳에 通報하여야 한다.

第34條(團體協約의 作成)
①,②(省略)
③行政官廳은 團體協約 내용중 違法不當한 事實이 있는 경우에는 勞動委員會의 議決을 얻어 이의 變更 또는 取消를 명할 수 있다.

第35條(團體協約의 有效期間) ①團體協約에는 1年을 초과하는 有效期間을 정할 수 없다. 다만, 賃金外의 事項에 관한 協約

③勞動組合은 第1項의 規定에 의하여 交涉을 委任한 때에는 지체없이 다음 各號의 事項을 相對方에게 通知하여야 한다.
1. 受任人의 住所, 姓名, 職業(團體인 경우에는 그 名稱, 住所 및 代表者의 姓名)
2. 委任의 範圍

第34條(團體協約의 作成)
①,②(現行과 같음)
③..............................
........違法한....................
....
......補完을 ....

第35條(團體協約의 有效期間) ①..............................
....
.............(但書 削除)

0103

現　　　行	改　正　案
의　경우에는　2年을　초과할　수　없다. ②團體協約에　그　有效期間을　정하지　아니한　때　또는　第1項의　期間을　초과하는　有效期間을　정한　때에는　그　有效期間은　2年（賃金協約의　경우에는　1年）으로　한다. ③（省　略）	②…………………………… ……………………………… ……………………………… ………………………정한　때에는　그　有效期間은　1年으로　한다. ③（現行과　같음）
第45條의2（罰則）　第12條또는　第12條의2의　規定에　違反한　者는　3年以下의　懲役　또는　500萬원이하의　罰金에　處한다. 第47條（罰則）　第30條의規定에　違反하여　關係書類를　提出하지　아니하거나　虛僞의　書類를　提出한　者　또는　調査를　拒否, 妨害　또	第45條의2（罰則）　第12條의2의　規定에…………… ……………………………… ……………………………… …………… （削　制）

0104

는 忌避한 者는 3月이하	
의 懲役 또는 20 만원이	
하의 罰金에 處한다.	
第 49 條 (罰則)	第 49 條 (罰則)
1. ～3. (省略)	1. ～3. (現行과 同一)
(新 設)	4. 勞動組合의 代表者가 第
	26 條第 2 項에 의한 會議의
	召集을 고의로 忌避하거
	나 해태한 때

勞動爭議調整法中改正法律案(代案)

議 案 番 號	

提案年月日 : 1989.3.

提 案 者 : 勞動委員長

1. 代案의 提案經緯

가. 勞動爭議調整法中改正法律案이. 1988年 11月 25日 李相洙議員外 70人으로부터 發議된 후 同年 12月 5日 鄭貞薰·李仁濟·盧武鉉 議員外 57人, 1989年 1月 25日 金炳龍 議員外 34人이 各各 發議하여 3個法案이 當委員會에 回附되어 왔음.

나. 當委員會에서는 回附된 3個改正法律案中 2個改正法律案(李相洙 議員外 70人, 鄭貞薰·李仁濟·盧武鉉 議員外 57人發議)에 對하여 1988年 12月 13日 第144回 國會(定期會) 第12次 委員會에서 提案說明과 專門委員의 檢討報告를 各各 듣고, 勞動關係法案審査小委員會를 構成하여 同改正法律案을 審査報告하도록 하였으며, 1個改正法律案(金炳龍議員外 34人 發議)에 對하여는 1989年 2月 20日

-- 1 --

0106

第145回國會(臨時會) 第1次委員會에서 提案說明
과 專門委員의 檢討報告를 듣고, 이미 構成되어 있
는 法案審査小委員會에서 倂合審査하도록 하였음.

다. 法案審査小委員會는 4次('88年 12月 14日, '89年
2月 17日, 3月 3日, 4日)에 걸쳐 同法案을 眞摯
하게 審査한 결과 1個의 法律에 대하여 3個의
改正法律案이 提出되었으므로 改正案 內容을 統合
하여 單一案을 마련, 1989年 3月 7日 第145回
國會(臨時會) 第6次委員會에 報告하여 議決함으
로써 3個法律案을 各各 廢棄하고 委員會의 代案
으로 本法案을 提出하게 되었음.

2. 代案의 提案理由

防衛産業體에 從事하는 勤勞者에 대한 爭議行爲禁
止를 解除하고, 第3者介入禁止 除外範圍에 勞動組
合의 委任을 받은 辯護士나 公認勞務士와 勞動委
員會의 承認을 얻은 者를 包含하고, 職場閉鎖要件
을 强化하여 기타 勞動爭議를 合理的으로 解決하
고자 하려는 것임.

0107

3. 主要骨子

가. 이 法의 目的을 勞動爭議의 合理的 보장을 위한 것으로 規定(案 第1條).

나. 防衛産業體從事 勤勞者의 爭議行爲를 公益事業體 從事 勤勞者의 爭議行爲에 準하도록 規定함(案 第12條第3項).

다. 第3者 介入禁止 除外範疇에 勞動組合의 委任을 받은 辯護士나 公認勞務士와 勞動委員會의 승인을 얻은 者를 包含함(案 第13條의 2).

라. 職場閉鎖에 5日間의 冷却期間制를 導入함 (案 第17條).

— 3 —

0108

法律第　　號

勞動爭議調整法中改正法律案

勞動爭議調整法中　다음과　같이　改正한다.

第1條를　다음과　같이한다.

第1條(目的)　이　法은　勞動關係의　公正한　調整을　圖
謀하고　勞使間의　勞動爭議를　自主的으로　解決하는　것
을　保障함으로써　產業平和의　維持와　國民經濟發展에
寄與함을　目的으로　한다.

第5條를　다음과　같이　한다.

第5條(當事者의　責務)　勞動關係當事者는　勞動爭議가
發生한　때에는　自主的으로　解決하도록　努力하여야
한다.

第12條第2項을　다음과　같이　하고,　第3項을　第4
項으로　하며,　第3項은　다음과　같이　新設한다.

②國家·地方自治團體에　종사하는　勤勞者는　爭議行爲
를　할　수　없다.

— 5 —

0109

③防衛産業에 관한 特別措置法에 의하여 指定된 防衛産業體에 종사하는 勤勞者의 爭議行爲에 대하여는 公益事業에 준하여 이 法을 適用한다.

第13條의 2 중 "聯合團體인 勞動組合의"를 "聯合團體인 勞動組合과 當該勞動組合의 委任을 받은 辯護士나 公認勞務士의 資格을 가진 者와 勞動委員會의 承認을 얻은 자의"로 한다.

第17條를 다음과 같이 한다.

第17條(職場閉鎖의 要件) 使用者는 勞動組合이 爭議行爲를 開始한 以後 5日이 經過하여야만 職場閉鎖를 할 수 있고, 이 경우 行政官廳과 勞動委員會에 各各 申告하여야 한다.

第45條의 2 중 "第12條第2項, 第3項"을 "第12條 第2項, 第4項"으로 한다.

附   則

이 法은 公布한 날로부터 施行한다.

0110

條 文 對 比 表

現　　　行	改　正　案
第1條(目的) 이 法은 勞動關係의 公正한 調整을 도모하고 勞動爭議를 豫防 또는 解決함으로써 産業平和의 維持와 國民經濟發展에 寄與함을 目的으로 한다.	第1條(目的) 이 法은 勞動關係의 公正한 調整을 도모하고 勞使間의 勞動爭議를 自主的으로 解決하는 것을 保障함으로써 産業平和의 維持와 國民經濟發展에 寄與함을 目的으로 한다.
第5條(當事者의 責務) 勞動關係 當事者는 團體協約에 勞使協議會의 設置, 기타 勞動關係의 適正化를 위하여 必要한 事項을 規定하여야 하며, 勞動爭議가 發生한 때에는 自主的으로 解決하도록 努力하여야 한다.	第5條(當事者의 責務) 勞動關係 當事者는 勞動爭議가 發生한 때에는 自主的으로 解決하도록 努力하여야 한다.

0111

- 7 -

現　　　　行	改　　正　　案
第12條（爭議行爲의　制限）	第12條（爭議行爲의　制限）
①（省　略）	①（現行과　同一）
②國家・地方自治團體 및 防衛産業에 관한 特別措置法에 의하여 指定된 防衛産業體에 從事하는 勤勞者는 爭議行爲를 할 수 없다.	②國家・地方自治團體에 종사하는 勤勞者는 爭議行爲를 할 수 없다
（新　設）	③防衛産業에 관한 特別措置法에 의하여 指定된 防衛産業體에 종사하는 勤勞者의 爭議行爲에 대하여는 公益事業에 준하여 이 法을 適用한다.
③（省　略）	④（現行 第3項과 같음）
第13條의2（第3者 介入禁止）直接 勤勞關係를 맺고 있는 勤勞者나 당해 勞動組合 또는 使用者 기타	第13條의2（第3者 介入禁止）……………………………………………………………………………

0112

法令에 의하여 정당한 權限을 가진 者를 除外하고는 누구든지 爭議行爲에 관하여 關係當事者를 操縱·煽動·妨害하거나 기타 이에 影響을 미칠 目的으로 介入하는 行爲를 하여서는 아니된다.   다만, 總聯合團體인 勞動組合 또는 당해 勞動組合이 加入한 産業別 聯合團體인 勞動組合의 경우에는 第3者 介入으로 보지 아니한다.

第17條(職場閉鎖의 要件)

使用者는 勞動組合이 爭議

....
....
....
....
....
....
....
....
....

聯合團體인 勞動組合과 當該勞動組合의 委任을 받은 辯護士나 公認勞務士의 資格을 가진 者의 勞動委員會의 承認을 얻은 者의…

第17條(職場閉鎖의 要件)

使用者는 勞動組合이 爭議

0113

- 9 -

現　　　　　　　　行	改　　正　　（案）
行爲를　開始한　이후에만 職場閉鎖를　할　수　있고, 이　경우　行政官廳과　勞動 委員會에　각각　申告하여야 한다. 第45條의 2（罰則）　第12條 第2項, 第3項　또는　第13 條의 2의　規定에　違反한 者는　5年以下의　懲役　또 는　1,000萬원이하의　罰金 에　處한다.	行爲를　開始한　이후　5日 이　經過하여야만　職場閉鎖 를　할　수　있고, 이　경우 行政官廳과　勞動委員會에 각각　申告하여야　한다. 第45條의 2（罰則）　第12條 第2項, 第4項·············· ·································· ·································· ·································· ·······················

0114

발 신 전 보

번 호 : WUS-3833 910823 1857 등별 : _____

수 신 : 주 미 대사 . /총영사

발 신 : 장 관 (미일)

제 목 : ILO 관련자료 송부

대 : USW - 4074

연 : WUS(F) - 0591

대호 요청 노동부 작성자료 및 본부 작성자료 각 1부를 연호 Fax 송부함.

- 끝 -

(미주국장 반기문)

일반문서로 재분류(1991.12.세.) 박

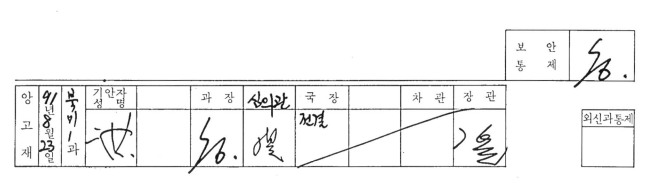

0115

" 노사관계 안정 "

노 동 부

국제 32220-120개   (504-7338)   1991. 8. 23.

수신 외무부장관

참조 미주국장

제목 자료송부

1. USW-4074 ('91.8.19) 관련임.

2. 위 관련에 의거 요구한 자료를 보내오니 주미대사관으로 송부하여
주시기 바랍니다.

첨부 ILO 가입 관련

노   동   부   장

"산업평화 정착"

27827   0116

ILO가입 관련 자료

0117

1. 기본 방침

o 우리나라는 UN 비회원국이면서도 UN 산하 16개 전문기구중 15개 기구에 가입하고 있으며 유일하게 ILO에만 가입하지 못하고 있는 실정이나

- 우리나라가 오는 9월 제 46차 UN 총회에서 UN 회원국이 되면 연내에 ILO에 가입할 방침

3. ILO 가입시 의무

UN 회원국의 가입조건은 ILO 헌장상의 의무 수락이 전제 조건이므로 가입시 헌장상의 의무는 준수해야 할 것임

o ILO 조약의 비준 및 비준한 조약의 이행 (ILO 헌장 제 19조 및 제 20조)

- ILO 조약의 비준여부는 회원국에서 결정하며 특정조약을 비준한 회원국만이 그 조약에 기속됨

- 신규 가입국의 조치사항

. 기존 조약 (172) 이나 권고 (179) 에 대해서는 어떠한 조치도 필요 없음

. 우리나라가 ILO 에 가입하게 되면 헌장상의 기본정신을 따라야 하나 기존 조약의 경우 아국의 법령 및 현실과 부합하는 조약만 비준하면 될 것임

- 가입후 새로운 조약의 경우

. 노총, 경총에 통보후 의견을 취합

. 정부 의견을 첨부하여 국회에 보고

. 국회 비준을 얻지 못하였을 경우 사무총장에게 사유 보고

0118

o 연차보고서 작성.보고 의무 (ILO 헌장 제 24조 및 제 27조)

  - 비준한 조약의 경우

    . 회원국이 일정한 조약을 비준한 경우 이를 실천하기 위한 국내 조치사항 보고

    . 비준된 조약과 관련하여 진정서가 ILO 에 제출된 경우 이에대한 해명서 제출 및 조사기관 조사에 협조할 의무

  - 비준하지 않은 조약의 경우

    . ILO 집행이사회는 미비준된 많은 조약중 기본적으로 중요하다고 생각되는 조약에 대하여 보고서 제출을 요구함

o ILO 분담금 납부 (ILO 헌장 제 13조)

  - 회계 년도별로 각국의 경제력, 인구 등을 감안하여 분담비율 결정

3. ILO 조약 비준

o ILO 가입은 ILO 노동 기준과 관련 향후 우리의 노동정책과 노사관계의 중대한 변화의 전기가 될 것으로 예상

o ILO 가입시 우선적으로 우리의 법령 및 현실 여건에 부합하는 조약부터 년차적으로 비준

  - 선진국인 미국은 11개 일본은 39개만 비준하는 등 대부분의 국가가 자국의 현실에 따라 조약을 비준하는 실정이며

  - 149개 회원국의 172개 조약중 평균 조약 비준수는 35개 정도임

o 그러나 우리의 현실 여건과 근본적으로 상치되는 조약에 대해서는 현실 여건과 노동상황이 변할때 까지 유보할 예정

  ex) ILO 조약 제 87호, 제 98호, 제 151호 등

0119

조약 비준 현황

※ ( )안의 숫자는 비준조약 수임.

비준 조약수	비준국가수	주 요 비 준 국 명
0	1	나미비아 (0)
1 - 9	15	캄보디아 (5), 인도네시아 (9) 등
10-19	28	미국(11), 아프가니스탄(15), 중국(17),이란(11) 말레이지아(11), 사우디(13), 태국(11) 등
20-29	28	캐나다(27), 필리핀(21), 싱가포르(21), 터어키(28)등
30-39	22	인도(34), 일본(39), 파라과이(33), 세네갈(34)등
40-49	16	호주(48), 오스트리아(47),칠레(40),모로코(40), 스위스(47), 소련(48) 등
50-59	12	이집트(58),헝가리(52),뉴질랜드(56),베네수엘라(52)등
60-69	12	아르헨티나(66),브라질(65),덴마아크(61),독일(67)
70-79	3	폴랜드(74), 유고슬라비아(76), 멕시코 (72)
80-89	6	벨기에(82),쿠바(86), 핀랜드(82), 스웨덴(82) 영국(80) 등
90-99	3	네델란드(91), 노르웨이(95), 우루구아이(96) 등
100이상	3	이태리(102),프랑스(114), 스페인(122)
계	149	

0120

관리
번호 91-1838

원 본

외 무 부

종 별 :

번 호 : USW-4240   일 시 : 91 0826 1501

수 신 : 장 관(미일,경일,국기,노동부,경제수석)

발 신 : 주 미국 대사

제 목 : ICFTU 조사단 방한

    당관 공덕수 노무관이 8.26 AFL-CIO 산하 AAFLI(ASIA-AMERICA FREE LABOR INSTITUTE)사무처장 KENNETH HUTCHISON 을 접촉, 탐문한바에 의하면 국제 자유 노련(ICFTU)은 아국의 노동권과 관련, ICFTU 조사단을 10.7-11 간 한국에 파견할예정이라함. 조사단의 구성은 아직 미정이나 벤더베켄 ICFTU 사무총장을 중심으로 이루어질 것이며, 미국에서는 AFL-CIO 를 대표하여 AAFLI 소장 CHARLES GREY가 참석할 예정이라함.

    동 조사단은 당초 금년 3-4 월경 방한 예정이었으나, 한국 노총측에서 동시기가 임금 교섭시기이므로 동기간을 피해줄것을 요청함에 따라 연기되었다고 함. HUTCHISON 에 의하면 ICFTU 내에서 유럽 노조간부(특히 자동차, 철강등 금속 노련)들이 한국의 노동 문제에 대해 비판적이라고 하였으며, 금번 방한하는 ICFTU 대표단에는 유럽 노조 간부가 대부분이 될것이라고함. 끝.

    (대사 현홍주-국장)

    예고: 91.12.31 까지

미주국   1차보   2차보   국기국   경제국   청와대   노동부

PAGE 1   91.08.27   07:13

                                               외신 2과 통제관 BS

                                               0121

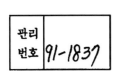

외   무   부

원   본

종   별 :

번   호 : USW-4251　　　　　　　　　　일   시 : 91 0826 1831

수   신 : 장 관 (미일)

발   신 : 주 미 대사

제   목 : 서준식 근황

　　　대: WUS-3718

　　　대호 서준식 관련 DELLUM 하원의원에 대한 본직명의 서한을 7.23. 발송하였음. 끝.

　　　(대사 현홍주-국장)

　　　예고: 91.12.31. 까지

　　　　　　　　　　　일반문서로 재분류(1991.12.31.)

PAGE 1　　　　　　　　　　　　　　　　　　91.08.27　　07:48

외신 2과· 통제관 BS

0122

長官報告事項

報告畢

1991. 8. 30.
美 洲 局
北 美 1 課 (85)

題 目 : OPIC 社長 訪韓

91.7. 韓國의 勞動權 現況 報告書(韓國의 勞動權이 改善되지 않고 있다고 指摘)를 美 議會에 提出한바 있는 美 海外 民間投資公社(Overseas Private Investment Corporation)의 Fred M. Zeder 社長이 9.2-5間 訪韓 豫定인바, 滯韓日程等 關聯事項 報告드립니다.

---

1. 訪韓 概要

　가.　방한 기간 :　91.9.2(월) - 5(목)

　나.　초　　청 :　Gregg 주한미국대사

　다.　주요 체한일정

　　　9.3(화) :　노동부장관 예방, 노동부 노사정책실장 면담
　　　　　　　　　외무부 국제경제국장 면담
　　　9.4(수) :　노동연구원장 면담

2. 措置 豫定事項

　ㅇ　우리정부 주요인사 면담시 최근 한국의 노동권 개선 상황을 설명하고,
　　　미국내 노동관련 기관 및 단체(UAW, AFL-CIO)들의 부정적 시각 교정을
　　　위한 설명자료등 전달.　끝.

0123

관리 번호	91-1863

외 무 부

종 별 :

번 호 : USW-4326

일 시 : 91 0829 1420

수 신 : 장 관 (민일,통이,노동부,외교안보,경제수석)

발 신 : 주 미 대사

제 목 : OPIC ZEDER 사장 방한

연: USW-3510

당관 공덕수 노무관이 OPIC 의 MARVEY HIMBERG 과장과 접촉, 탐문한 바에 의하면, OPIC 의 FRED M. ZEDER 사장이 9.2-4 간 주한 GREGG 대사의 주선으로 방한할 예정이라고 함.(수행원은 없다고 함) 동 과장에 의하면 ZEDER 사장의 방한 일정은 주한 미대사관에서 주선한다고 하는바, 주한 미대사관과 협의, 체한기간중 노동부등 관계기관을 방문하여 아국 노동권에 대한 이해를 증진할 수 있도록 건의함. 끝.

(대사 현홍주-국장)

예고: 91.12.31. 까지

미주국 안기부	장관 노동부	차관	1차보	2차보	통상국	분석관	청와대	청와대

PAGE 1

91.08.30   06:46

외신 2과 통제관 CH

0124

외 무 부

관리
번호 9/-/869

종   별 : 지 급

번   호 : USW-4354

일   시 : 91 0830 1602

수   신 : 장관(미일,경이,봉이,노동부,외교안보,경제수석)

발   신 : 주 미 대사

제   목 : OPIC ZEDER 사장 면담

연 USW-4326

본직은 OVERSEAS PRIVATE INVESTMENT CORPORATION 원 FRED M.ZEDER 사장을 8.30(금) 1000-1100 간 면담한바, 그 결과를 하기 보고함.(공덕수 노무관 대동,미측 배석자 JAMES D. BERG 부사장, HOWARD HILLS 법률고문, 국무성 한국과 JOSEPH RICHARDSON 상임 경제관)

1.ZEDER 사장은 최근 OPIC 의 대아국 사업 중단 결정은 미국내 정치 문제와연관된 조치로서 AFL-CIO 등 노동 단체와 관련이 있는 미 연방 상. 하원 의원들의 압력에 의해 OPIC 으로서는 취할수 밖에 없었던 정치적인 조치였음을 상기시키고, OPIC 은 금후 적절한 계기에 한국과의 조기 사업 재개를 용이하도록 하기위해 동 조치를 조용히 처리 했다고 언급함. 금번 동 사장의 방한도 빠른 시일내 한국과의 사업 재개를 위해 가능한 방안을 모색하기 위해서 한국정부및 민간 단체의 관계자를 접촉하여 OPIC 이 할수 있는 방안을 강구하는 계기로 활용코자 하는데 있음을 강조함.

2. 이에 대해 본직은 OPIC 의 최근 조치에 대해 심히 유감을 표명하고, 일례로서 OPIC 이 동 조치를 취한 사유중 하나인 개정 노동관계법(노동 조합법, 노동 재의 조정법)에 대한 대봉령의 재의 요구와 관련

동건은 본직이 당시 법제처장으로 재직시 이루어진 조치로서 개정 노동 관계법(안)은 헌법및 타법률에 위배되었을뿐만 아니라, 지나친 노조 보호 조치로서이는 국가 안보및 경제를 위태롭게할 우려가 있어 취해진 조치였으며, 노조 활동을 탄압하기 위한 조치가 아니였음을 설명함.

또한 아국의 노동 관계법 개정은 한국의 특수한 정치, 경제적 상황에 따라 현실적으로 시간이 걸릴것으로 예상되나, 현재까지 한국은 ILO 의 유엔 비회원국에 대한 가입절차(비회원국의 경우 2/3 이상 지지 획득)때문에 ILO 회원국이 되지

미주국	장관	차관	1차보	2차보	경제국	통상국	분석관	청와대
청와대	노동부							

못했지만, 9.17 유엔에 가입되면 유엔 가입과 동시에 빠른 시일내 ILO 가입을할수 있도록 현재 ILO 가입 절차등 필요한 조치를 검토하고 있으므로 금후 ILO에 가입되면 아국 노동권 신장의 계기가 될수 있을것임을 언급함.

3. 또한 본직은 ZEDER 사장의 방한이 한국내 언론에 잘못 보도되면 부정적인 측면(한국의 노동권이 극심하게 열악하다고 주장하는 일부 인사와 미국이 한국의 국내 문제에 관여한다고 주장하는 인사들에 의해 역이용될 가능성 있음)에서 다루어질수 있으므로 한국내의 언론 보도보다는 <u>금후 OPIC 이 한국과의 사업재개를 위해 동사장이 한국의 현실을 파악하기 위해 방한했다는 내용</u>을 의회및 노동 단체에 알리기 위해 미국내 언론에 보도될수 있도록함이 좋겠다고 제안했으며, 가능하면 방한시 한국 경총의 인사도 접촉하도록 제의함.

4. ZEDER 사장은 금후 ILO 가입을 계기로 새로운 조치가 이루어지거나 제의 요구된 법안에 대한 바람직한 대안이 마련될수 있다면 설사 입법 까지는 안된더라도 미국의회, 노동계에 대한 OPIC 의 입장이 크게 강화될수 있을것이라면서 한국과의 금후 사업 재개를 위해 한국을 이해하는 입장에서 최선을 다하겠다고 언급했으며, <u>금번 방한은 일본, 싱가폴, 인도네시아 방문의 일환</u>이라고 함. 끝

(대사 현홍주-국장)

91.12.31 까지

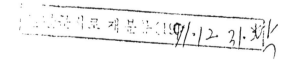

PAGE 2

0126

보 도 자 료

1991. 9. 1.
외 무 부

제 목 : 미 해외 민간투자공사 사장 방한

o Fred M. Zeder 미 해외 민간투자공사(Overseas Private Investment Corporation)
   사장이 91.9.2(월)부터 5일(목)까지 방한할 예정임.

o 금번 Zeder 사장의 방한은 동 공사의 대한국 사업 재개를 위해 한국내 제반
   경제상황을 파악하기 위한 것이며, 방한중 정부 및 경제단체 인사들과의 면담을
   가질 예정임.

o 미 해외 민간투자공사는 미 연방정부의 출연 기관으로서 개도국에 대한 투자
   보증 및 투자자금 대부 활동을 하고 있으며, 세계 각국의 경제상황 및 노동권
   현황등에 관한 보고서를 의회에 제출하는 사업도 시행함.

0127

<참고 자료>

미 해외 민간투자공사
(Overseas Private Investment Corporation)

o OPIC은 미국 정부가 출연한 정부 기관이나 독립 채산제에 의해 운영되는
   일종의 국영기업체 성격의 기관으로, 개도국에 대한 투자보증 및 투자자금
   대부 또는 지불보증을 주업무로 하고 있음.

o OPIC은 정변, 경제 사회적 기반시설의 결여등으로 미국기업이 투자를 꺼리는
   후발 개도국에 대한 투자보증을 주로 하고 있으므로, 한국은 현재 OPIC
   대상국으로 남아 있기는 하나, 선발 개도국인 아국의 OPIC 이용은 계속
   줄어드는 추세임.(OPIC 당국에 의하면, 현재 대한 투자보증 또는 지불보증
   잔액은 전무하다 함.)

o OPIC은 설립 정관상 일정한 요건(ELIGIBILITY)을 갖춘 국가만을 투자보증
   대상국으로 삼고 있는 바, 노동권 보호상태도 여사한 요건중의 하나임.

o 특정국의 노동권 탄압여부 결정시 OPIC은 미 국무부, 노동부등의 의견을
   참작하나 기본적으로 최종 결정권은 OPIC에 있으며, 동 결정의 효과도
   OPIC의 투자보증 대상국 자격박탈 여부에 관련되는 것일뿐 미국정부의
   일반적 대외정책과는 무관함.

0128

국장님 면담자료

1991.9.3(화) 15:00

경협1과

1. 인적사항

< 참고사항 >

o 해외민간투자공사 (OPIC : Overseas Private Investment Corporation)

- 69년 미정부가 출연한 정부기관
- 미국기업이 투자를 꺼리는 후발개도국에 대한 투자보증 및 지불
  보증이 주업무
- 한국은 현재 OPIC 대상국으로 남아 있으나, 현재 한국에 진출하기
  위해 지불보증을 요청한 미국기업은 없음.
- OPIC는 노동권 보장이 미흡한 나라를 노동권 침해국으로 지정,
  OPIC list 에서 제외하고 동 국가에 진출하는 미국기업에 대한
  투자보증 및 지불보증을 중단함.
  · 91.7 OPIC, 한국을 노동권 침해국으로 지정, 한국에서의
    신규사업 중단을 발표

0130

2. 방한 개요

o 방한 기간 : 91.9.2(월) - 5(목)

o 초   청 : Gregg 주한 미국대사

o 주요 체한 일정

  - 9.3(화) 10:00 노동부장관 예방

           10:30 노동부 노정국장 면담

           15:00 외무부 국제경제국장 면담

  - 9.4(수) 11:00 최영철 청와대 정치특보 면담

              · 노동연구원장 및 수출입 은행장 면담 예정

o 방한목적

  - 한국과의 사업재개를 위해 한국 노동현실 파악

3. OPIC, 한국을 노동권 침해국으로 지정 (91.7)

  가. 경   위

     o 90.11 미국 AFL/CIO 및 UAW (美자동차 노조), 한국내 노조간부 구속

       등을 이유로 한국을 노동권 침해국으로 지정할 것을 OPIC에 청원

     o OPIC, 자체조사 및 국무부, 노동부의 자문결과를 토대로 대의회

       보고서 작성

     o 91.7 OPIC, 한국을 노동권 침해국으로 지정하는 보고서를 의회에 제출

  나. 지정이유

     o 단체교섭, 결사의 자유등 기본노동권 보장 미흡 및 노조간부 구속

     o 국회통과된 개정 노동관계법에 대한 대통령의 거부권 행사

0131

다. 한국에 미치는 영향

  o OPIC는 한국에서의 신규사업을 중단

    - OPIC 동 결정의 경제적 영향은 거의 없음. (현재 한국에 투자하기
      위해 OPIC에 투자보증을 요청한 미국기업은 없음)

  o 동 결정은 OPIC의 투자보증 대상국 자격 여부와 관련될 뿐, 미국
    정부의 대외정책과는 무관함.

4. 노동권 관련 우리측 입장

가. 노동자권리 보호문제

  o 한국헌법은 노동자의 자주적 단결권, 단체교섭(collective bargaining)
    및 단체행동권을 보장하고 있음.

    - 노동조합법, 노동쟁의 조정법은 노동조합 가입 및 탈퇴 자유 보장

  o 최근 3-4년간 근로조건의 현저한 개선 및 노조활동 신장

    - 노조 및 노조원수 2배이상 증가

    - 노동자 임금의 100%이상 인상

나. 노동관계법 개정문제

  o '89 대통령은 국회 통과된 개정 노동관계법에 거부권 행사

  o 방위산업체등 일부 기간사업에서만 남북대치라는 특수상황 때문에
    일부 노동권이 제약되는 경우가 있을 수 있는 바, 한국내의 특수
    사정을 고려하지 않는 일방적 평가는 바람직하지 않음.

  o 한국 노동관계법 개정은 특수한 정치, 안보적 상황으로 시간이
    걸릴 것으로 예상됨. 그러나, 현재 한국정부는 ILO 가입에 필요한
    조치를 검토중인 바, 향후 ILO 가입은 한국 노동권 신장의 계기가
    될 것임.

0132

다. 노조원 구속 문제

  o 한국 헌법, 노동법은 평화적 노조활동을 보장

  o 일반 형사법 위반으로 구속된 노동자를 노동운동 탄압으로 연계
    시키는 것은 올바른 시각이 아님.

    - 구속노동자 대부분은 노동운동과 직접 관련없는 폭력, 방화
      (arson), 공무집행 방해등 형사법 위반으로 구속

      · 대우자동차, 대우조선 노조간부 10여명도 집단시위, 폭력,
        주요시설물 점거등 위법행위로 불가피하게 구속된 것임.

      · 현재까지 구속자중 순수 노동관계법으로 구속된 노동자는
        7명뿐

    - ILO 조약 135호 제1조도 노조간부는 노조활동시 현행 법률과
      단체협약에 위반되지 않는 범위내에서 보호받을 수 있다고
      규정하고 있음.

라. 노조의 정치활동 문제

  o 현행법하에서도 노조의 목적 달성을 위해 정부, 국회에 대한 청원등
    정치활동이 인정됨.

  o 조합원도 개인자격으로는 정당가입 및 특정후보 지지등 정치활동 가능

0133

분류번호	보존기간

발 신 전 보

WUS-4028   910904 1718 FN

번   호: _____   종별: _____

수   신: 주   미   대사. 총영사

발   신: 장 관 (미일)

제   목: OPIC 사장 방한

대 : USW - 4354, 4326

1. 대호 Zeder 사장의 방한일정은 아래와 같음.

    9.3(화)   10:00   노동부장관 예방

            10:30   노동부 노정국장 면담

            15:00   외무부 국제경제국장 면담

    9.4(수)   10:00   외무부 미주국장 면담

            11:00   청와대 정치특보 면담

    오 후   노동연구원장, 수출입은행장 면담

2. Zeder 사장은 미주국장 면담시 금번 방한목적은 한국에서의 신규사업 조기 재개를 위한 현황파악임. 전거기간이 다가오는등 시기적으로도 한국에 대한 부정적 시각을 일시에 불식시키기는 어려우므로 가까운 시일내에 한국과의 사업 재개는 어려울 것이나 6공화국 출범이후 개선된 노동권 신장 현황을 기초로 단계적으로 조용히 AFC-CIO 및 미 의원들을 설득 노력할 예정이라 밝힘. 이에 대해 미주국장은 6공 출범이후 현격히 개선된 노동권 신장 상황을 상세 설명하고, UN 가입이후 ILO 가입이 실현되면 한국내 법규도 정비되고 한국내 노동권 보호에 관한 국제인식도 상당히 변화될 것임을 강조하고, 미 조야내 인식변화를 위해 계속 노력하여 줄 것을 당부하였음을 참고바람. 끝.

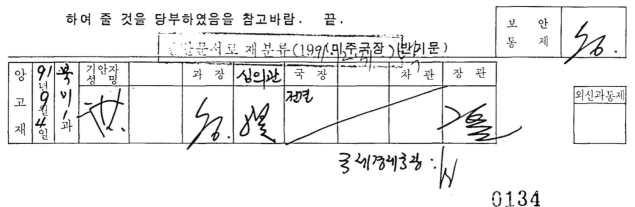

앙고재	91년 9월 4일	기안자 성명		과 장	심의관	국 장		차 관	장 관	외신과통제

외　무　부

종　별 :

번　호 : USW-4435　　　　　　　　　　일　시 : 91 0905 1835

수　신 : 장 관 (송민순 북미과장, 홍석규 서기관)

발　신 : 주 미 대사 (김영목)

제　목 : 업연

　　당지 ERDREICH 의원 사무실의 문의가 있는바, 외국인 또는 외국기업이 국내 특정
정치인에게 헌금을 할수 있는지, 할수 있다면 한도가 있는지 관련법 규정을 가급적
조속 파악 알려주시기 바랍니다. 끝.

미주국　　　미주국

PAGE 1　　　　　　　　　　　　　　　　　　91.09.06　　08:48 WG
　　　　　　　　　　　　　　　　　　　　　　외신 1과 통제관

0135

외 무 부

번   호 : WUSF-0631   910909 0956 냔월일 : 91.9.9   시간 :

수   신 : 주   미   대사(~~총영사~~)

발   신 : 외무부장관(미일   )

제   목 : 法規檢 送付

총   2 매 (표지포함)

보 안 동 제	
외 신 과 통 제	

0136

第12條(寄附의 制限) 다음 各號의 1에 해당하는 者는 政治資金을 寄附할 수 없다. <改正 89·12·30>

1. 外國人·外國法人 및 外國의 團體. 그러나 大韓民國 國民의 主導下에 있는 外國法人 및 外國團體는 제외한다.

2. 國家·公共團體 또는 特別法의 規定에 의하여 設立된 法人

3. 國家 또는 地方自治團體가 株式 또는 持分의 過半數를 所有하는 企業體

4. 言論機關 및 言論團體

5. 勞動團體

6. 學校法人

7. 宗敎團體

8. 3事業年度이상 계속하여 缺損을 내고 그 缺損이 補塡되지 아니한 企業體

第13條(同前) 누구든지 다음 各號의 1에 해당하는 行爲와 관련하여 政治資金을 寄附하거나 받을 수 없다. <改正 89·12·30>

1. 公職選擧에 있어서 特定人을 候補者로 추천하는 일

2. 公務員이 담당·처리하는 事務에 관하여 請託 또는 알선하는 일

3. 第12條第2號 및 第3號에 規定하는 者. 國家나 公共團體로

외 무 부

종 별 :

번 호 : USW-4499   일 시 : 91 0909 2000

수 신 : 장 관(미일,봉이,경일,경기원,노동부,외교안보,경제수석)

발 신 : 주 미 대사

제 목 : 미 봉신노조의 아국내 구속 노조지도자 석방 요청

    대: WUS-3833

    1. 미 봉신노조의 MORTON BAHR 회장은 본직앞 별첨 서한을 통하여 최근 스위스 소재 국제금속 근로자 연맹(INTERNATIONAL METALWORKERS' FEDERATION)이 한국내에서 노조 조직 활동과 관련하여 276 명이 구속되어 있다는 내용의 NEWS RELEASE 를 하였음을 상기시키면서, 이들의 석방을 촉구해 왔음.

    2. 이에대한 대응에 참고코자 하니, 국제금속 근로자 연맹측이 언급하고 있는 276 명 구속의 사실여부및 사실인 경우 그 구속사유를 회보바람.

    3. ILO 가입시 노동관계법 개정 필요성 여부와 관련, 대호 우리정부의 견해는 우리의 현 노동관계법이 ILO 헌장에 상반되지 않는다는 것임에 반하여 미 봉신 노조측은 양자가 상치되므로 ILO 가입을 위하여는 노동 관계법이 개정되어야 한다는 주장을 내세우고 있는바, 여사한 해석차이의 대상이 되는 ILO 헌장및 우리 노동관계법 규정과 아측 주장의 논거등도 참고로 회시바람.

    첨부: USW(F)-3645(2 매). 끝.

    (대사 현홍주-국장)

    예고: 91.12.31. 까지

미주국 분석관	장관 청와대	차관 청와대	1차보 안기부	2차보 경기원	경제국 노동부	통상국	외정실	분석관

PAGE 1

Communications   501 Third Street, N.W.   Morton Bahr
Workers of America   Washington, D.C. 20001-2797   President
AFL-CIO, CLC   202/434-1110   Fax 202/434-1139

. . . .

(handwritten Korean annotations)
번호 : USW (A-36 45
수신 : 장관 (미일, 동이, 경원, 경제원, 노동부,
        외교안보, 경제수석)
발신 : 주미 대사
제목 : 첨부 (2매)

August 30, 1991

His Excellency Hong-Choo Hyun
Ambassador of South Korea
2370 Massachusetts Avenue, N.W.
Washington, D. C. 20008

Excellency:

Please find attached a copy of a news release from the
International Metalworkers' Federation (IMF) in Switzerland
concerning the 276 workers and trade union leaders who have been
imprisoned in South Korea for their union-organizing activities.

On behalf of the officers, staff and more than 700,000 telephone
and related members in the United States and Canada, the
Communications Workers of America (CWA) requests that you convey
to your government our union's deep concern for the imprisoned
Korean unionists who are being held in prison for exercising what
anywhere else in the world are normal trade union rights. We
also strongly urge that your government arrange for the immediate
release of the detained workers and trade union leaders.

Thank you very much for your kind attention.

Respectfully yours,

Morton Bahr

Morton Bahr
President

Attachment

cc: Marcello Malentacchi, IMF
     Philip Bowyer, PTTI
     Charles Gray, AFL-CIO
     Park In-sang, Federation of Korean
        Metalworkers Trade Unions

3645-1

0139

NEWS RELEASE

INTERNATIONAL METALWORKERS' FEDERATION

16 MILLION WORKERS IN MANUFACTURING UNIONS IN 70 COUNTRIES

Geneva, July 4, 1991 No. 20

IMF CALLS FOR RELEASE OF 276 TRADE UNIONISTS IN SOUTH KOREA AS SEOUL SEEKS ILO MEMBERSHIP

The International Metalworkers' Federation has asked its 180 affiliates representing 16 million metalworkers to campaign for the release of 276 workers and trade union leaders still held in prison in South Korea because of union organizing activities.

The IMF is circulating the list of imprisoned Korean unionists, which includes leaders of major automobile, shipbuilding and engineering plants.

Some workers have been held in prison for more than one year. In the IMF's view, the detention of these trade unionists represents a concerted effort by the South Korean government and employers to roll back the clock to the situation prior to 1987 when all independent trade union organization in South Korea was repressed.

Since 1987, there have been major democratization moves, including the launch of many independent trade unions, but the high level of arrested union organizers shows that the South Korean government is unable to adjust to democratic freedoms in the sphere of workplace relations.

In a letter sent to all IMF-affiliated unions, which accompanies the list of names of imprisoned Korean workers, the IMF general secretary, Marcello Malentacchi, writes: "The South Korean government has said it will seek membership in the ILO in 1992. It should be made clear that joining the ILO entails changing Korean labour law to bring it into line with ILO norms and ending the anti-union repression in contravention of ILO conventions."

3645 - 2 (End)

Founded in 1893, the IMF coordinates the international activities of unions in Europe, North and South America, Asia and Africa in the following industries: aerospace, automobile, electronic, electrical, engineering, metal, shipbuilding and steel.

President: Franz Steinkühler — General Secretary: Marcello Malentacchi — Director of Communications: Denis MacShane

0140

관리
번호 91-1912

분류번호	보존기간

발 신 전 보

WUS-4154   910911 1451 FH

번 호 :   종별 :

수 신 : 주   미   대사. 총영사

발 신 : 장 관 (미일)

제 목 : 미 통신노조 요청 대응

대 : USW - 4499

연 : WUS - 3833, WUS(F)-0521, 미북 0160-87(91.1.23)

1. 대호 국제금속 근로자 연맹측이 한국내 노조활동 관련하여 구속중이라고 주장하는 자들은 폭력행위 처벌에 관한 법률등 실정법을 위반한 자들이 대부분인바, 귀관에 연호로 기 송부된 국내 인권상황 관련 대응자료를 토대로 적의 대응하고 결과 보고바람.

2. 대호 3항 우리의 현 노동관계법과 ILO 헌장과의 상치 여부에 관한 정부입장은 관계기관과 협의후 추보 예정임.   끝.

(미주국장 반기문)

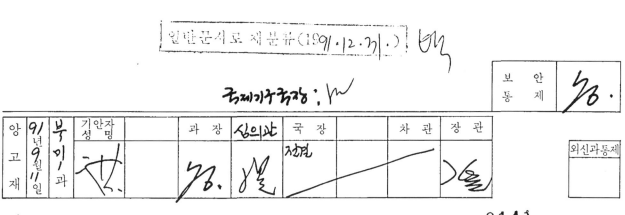

앙고재 91년9월11일 부이과	기안자성명	과장 심의관	국장	차관 장관	
					외신과통제

0141

협 조 문

분류기호 문서번호	미일 0160- *1911*	**(720-2321)**	결 재	담 당	과 장	심의관
시행일자	1991. 9. 11.					(서명)
수 신	국제기구 국장	발 신		미 주 국 장		
제 목	ILO 가입에 따른 노동관계법 개정 필요성 여부					

    1.　Morton Bahr 미 통신노조(Communications Workers of America) 회장은 91.8.30자 주미대사앞 서한을 통해 한국내에서 노조 활동과 관련 구속되어 있는 276명의 석방을 요청하는 한편, 우리의 현 노동관계법이 ILO 헌장정신에 상반되므로 우리의 ILO 가입을 위해서는 노동관계법들이 개정되어야 한다고 주장한 바 있습니다.

    2.　주미대사는 별첨 전문(USW-4499)을 통해, 우리의 현 노동관계법이 ILO 헌장정신과 상반되지 않다는 우리 주장의 논거 및 관련자료를 송부하여 줄 것을 요청하여 온바, 검토후 필요조치를 취하여 주시고 동 결과를 당국으로 통보하여 주시기 바랍니다.

첨 부 : 상기 USW-4499 전문 및 동 첨부물 각 1부.　끝.

일반문서로 재분류(1991.12.31.)

0142

외 무 부

관리번호 91-1932

종 별 : 지급
번 호 : USW-4563
수 신 : 장 관 (미일, 통이, 노동부, 경제수석)
발 신 : 주 미 대사
제 목 : 노동부 극동담당관 GLENN HALM 방한

일 시 : 91 0912 1630

　　당지 노동부 극동 담당관 GLENN HALM 은 9.12. 아국의 노동권과 관련, 9.14-18 간 방한 예정임을 당관에 알려옴.(매 2 년 마다 의회에 제출하는 노동권 보고서와 관련된 방한이라함) 동인의 방한일정은 주한 미 대사관에서 주선한다고 하며, 체한중 노동부, 노동조합, 사업주단체 및 학계인사를 접촉할 계획이라고함.

　　GLENN HALM 의 서울 도착및 출발일정은 아래와 같음.

　- 서울 도착: 9.14(토) 15:25(NW-29)

　- 서울출발: 9.18(수) 10:45(NW-10)

　　참고로 동인의 최종 방한 결정은 9.11 되었으며 귀로에 필리핀을 2 일간 방문할 예정이라고함. 끝.

　　(대사 현홍주-국장)

　　예고: 91.12.31. 까지

미주국	장관	차관	2차보	통상국	청와대	청와대	안기부	노동부

PAGE 1

91.09.13　07:14

외신 2과　통제관 CE

0143

관리번호 91-1926

외 무 부

종 별 :

번 호 : USW-4562

일 시 : 91 0912 1530

수 신 : 장관(미일, 경이, 노동부, 경제수석)

발 신 : 주미대사

제 목 : CWA MOORE 국제국장 면담 결과

대: WUS-4159

연: USW-4499

당관 공덕수 노무관은 미국 통신노조(COMMUNICATIONS WORKERS OF AMERICA)의 LOUIS E. MOORE 국제국장을 9.11(수) 12:00-14:00 간 오찬을 겸한 면담을 하고 그 결과를 하기 보고함.

1. 공 노무관은 아국의 노동권과 관련, 아국은 6 공화국 출범이후 노조활동이 크게 신장되었으며(노조원 및 조합원수의 2 배이상 증가) 근로시간 단축, 임금인상등 근로조건이 괄목하게 향상되었음을 설명하고, 국제금속노련(INTERNATIONAL METALWORKERS FEDERATION)이 제기하고 있는 노조간부 구속문제는 이들 구속된 노조간부들이 대부분 노사분규 과정에서 폭력, 파괴등 행위로 인해 실정법 위반으로 구속된 것이며, 노동관계법 위반으로 구속된 것이 아님을 설명함.

2. 이에 대해 MOORE 국장은 근래 한국 근로자의 임금등 근로조건이 전반적으로 향상되었으며, 노조활동도 신장되고 있음을 잘알고 있다고 언급했으며, 전노협등 일부 단체가 순수한 근로자의 권익보호 보다는 정치적 목적에 의해 노동쟁의를 일으키고 있으며, 메이데이를 전후하여 파업을 선동한 사실을 알고 있다고 언급함.

또한 CWA 는 한국의 통신노련과 협조가 잘되고 있으며, 한국의 통신노련은 노조활동상 별다른 문제가 없다고 언급함.

금번 미통신노조의 본직앞으로의 국제금속노련 NEWS RELASE 전달은 노동조합의 SOLIDARITY 측면에서 행해진 것이라고 설명함. 동국장은 노조활동은 각국마다 상이한 어려움이 있는데 미통신노조의 경우에는 1984 년 이전에는 BELL COMPANY 가 전국적으로 1 개로 통합되어 있어 단체협약을 1 개 회사와 체결하면 되었으나 84 년 이후에는 전국 8 개 지역으로 분리되어 자유경쟁하에 사업을 하도록 정부에서

미주국   차관   2차보   경제국   청와대   노동부

91.09.13   07:22

외신 2과   통제관 CE

0144

조치함으로서 3 년마다 상이한 단체 협약 8 개를 체결해야하는 어려움이 있음을 설명하고 단체협약이 92.9 월 종료되므로 단체협약갱신에 대비하여 지금부터 준비하고 있다고 언급함.

3. 공 노무관은 전노협 활동과 관련하여, 지난 5 월 전노협과 일부 불순학생들이 연계하여 대규모 시위등 집단행동을 했으나, 사회적 안정을 원하는 전 국민드의 호응을 얻지 못했음을 설명하고, 이는 6 월에 실시된 지자제 선거 결과와전노협의 경우에 가입 노조 및 노조원수가 90.1 월 설립시 보다 현재는 전반이상 감소되고 있음을 입증하고 있다고 설명함.

(대사 현홍주 국장)

91. 12. 31 까지

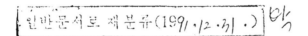
일반문서보 재분듀(1991.12.31.)

PAGE 2

" 노사관계 안정 "

노 동 부

국제 32220-1380   (504-7338)   1991. 9. 12

수신 외무부장관

참조 미주국장 (북미 1과)

제목 자료 송부

　　　OPIC 사장 방한시 당부 장·차관과의 면담 내용을 보내오니 주미대사에게
송부하여 주시기 바랍니다.

첨부 면담내용 1부. 끝.

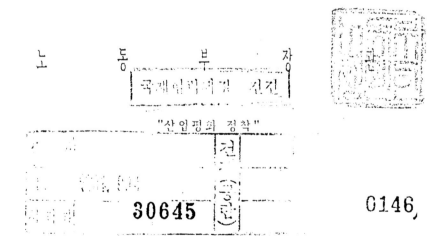

노 동 부 자

국제협력관 신진

"산업평화 정착"

30645   0146

OPIC 사장 노동부장관 예방

o 일 시 : '91. 9. 3. 10:00 - 11:00

o 장 소 : 노동부장관 접견실

o 참석자 : 노동부장관   최 병 렬

        노 정 기획관   김 상 남

        국제협력과장   송 명 용

        OPIC 사 장   FRED M. ZEDER

        주한미대사   Donald P. Gregg

        주한미 노무관   Peter Roe

        통   역 박 인 훈

o 주요 면담 내용

OPIC 사장

- OPIC의 성격과 활동내용 소개

- AFL-CIO 등의 정보에 의하면 한국은 노동조합 가입의 제한, 임금, 근로시간 등 근로조건에 있어 만족스럽지 못하고 특히 정치활동 복수노조 등에 있어 제한이 상존하고 있다고 함

- 이에 대해서 주미대사관 관계관으로 부터 설명을 들었으나 구체적인 내용에 대해서 다시 설명 요망

- 미 의회와의 관계를 고려하여 투자제한 조치를 어쩔수 없이 취하였으나 빠른 시일내에 투자를 재개하도록 하겠음

0147

장 관

- 한국의 노사관계가 아직 선진국 수준에는 미달

- 한국의 노동단체는 노총과 전노협이 있음. 전노협은 사노맹 사건에서 볼 수
  있는 것같이 노동혁명을 주도하고 있다. 그들의 주장만 우리의 노동현실이
  아님

- 근로자 구속은 실정법 위반자에게만 적용됨. 100명중 95명은 노동관계법이
  아닌 폭력, 파괴, 업무방해 등이다. 오해없기 바란다.

- 87년이래 민주화 과정이 4년정도이다. 앞으로 많이 개선될 것이다.

- 필요하면 충분한 자료를 제공할 것이니까 언제든지 또 주미대사관을 통하여
  요구하거나 또는 노동부에 직접 요청바람

- 이것이 한.미간의 노동협력임.

0148

OPIC 사장 노동부차관 면담

o 일 시 : '91. 9. 4. 19:00

o 장 소 : 주한 미 대사관저

o 참석자 : 노동부 차 관   정 동 우

　　　　　　　노 정 기 획 관   김 상 남

　　　　　　　OPIC 사　장　Fred M. Zeder

　　　　　　　주 한 미 대 사　Donald P. Gregg

o 주요 면담 내용

OPIC 사 장

- OPIC 의 성격과 활동 소개

- 관계자 면담결과 한국측 입장 이해하게 되었으므로 본국에 돌아가 이를 전달
  하고 이해를 시켜 OPIC이 한국에 재투자를 할 수 있도록 최선의 노력할 것임

노동부 차관

- 6.29 선언이후 아국 노사관계 급신장에 대한 설명

- 89년도 노동관계법에 개정에 대해 거부권을 행사한 것은 여소야대 시절 마련된
  법안으로써 현실과 동떨어졌기 때문에 어쩔수 없었음

0149

외 무 부

종 별 :

번 호 : USW-4664   일 시 : 91 0918 1154

수 신 : 장관(민일),봉이,국기,노동부,외교안보,경제수석)

발 신 : 주 미 대사

제 목 : 국무부장관 노동담당 특별 보좌관 면담 결과

당관 장기호 참사관은 9.16(월) 국무부장관 노동 담당 특별 보좌관 ANTHONYG. FREEMAN 을 면담한바, 그 결과를 하기 보고함(아측공덕수 노무관, 미측국무부 국제 노동 자문관 ALDEN H. IRONS 동석)

1. 장 참사관은 6 공화국 출범이후 아국 근로자들의 임금인상 등 근로조건의 향상과 노동권의괄목할 만한 신장에 대해 설명하고 최근 OP8IC 의 아국 노동권과 관련한 사업중단은 한국의 노동 현실을 잘 알지 못하고 일방의 의견만 듣고취한 조치로서 심히 유감을 표방함.

2. 이에 대해 FREEMAN 보좌관은 한국의 노동권 문제는 과거에는 아국의 GSP수혜와 연관되어 제기되었으나 한국이 GSP 를 졸업하므로서 최근에는 OPIC 을 통해 제기된 것으로 안다고 하면서, OPIC 은 결사의 자유, 노조간부 구속, 제 3 자 개입금지 문제등과 관련하여 89 년 이후 노동권 개선에 대한 진전사항이 없이사업중단 조치를 취한 것으로 안다고 언급함. 특히 결사의 자유와 관련해서는 아국이 전국 단위 노조로서 한국 노총만 일정(전 노협등 불인정)하고 있음이 치명적인 약점이며, 노조간부 구속문제는 현대중공업 노사분규에서 노조간부들이 연대 회의를 했다는 이유만으로 구속된 것이 크게 작용한 것으로 알고 있다고 언급함.

3. 이에 대해 장참사관은 전 노협은 근로자 권익을 위한 순수한 노조 활동은 하지 않고 정치적 활동을 주로하고 있는 단체이며, 현대 중공업등의 노조간부구속은 노사분규 과정에서 비합법적 파업과 폭력등의 사용으로 인한 실정법 위반으로 구속된것임을 설명함. 또한 89 년 노동쟁의 조정법에 대한 대통령의 국회재의 회부는 방위 산업체 근로자에 대한 파업권 인정과 관련된 조치로서 한국이 남. 북한 대치 사오항임을 감안, 국가 안보적 차원에서 부득이한 조치였음을 설명함. 또한 노동관계법상 제 3 자 개입금지는 1986 년 법개정으로 단위 노조의상급 단체로서

미주국 안기부	장관 노동부	차관	1차보	2차보	국기국	통상국	청와대	청와대

91.09.19   01:36

외신 2과 통제관 CD

0150

한국노총 및 산별 노력은 제 3 자 범위에서 제외되었으며, 최근변호사, 공인 노무사도 동범위에서 제외되었음을 설명하고 동 조항의 입법 취지가 좌경 학생과 종교인등 불순 세력의 노사 분규 개입을 방지하기 위한데 있음을 설명함.

4.FREEMAN 특별 보좌관은 OPIC 의 한국 사업 중단 문제와 관련하여 OPIC 사장이 방한후 귀국하면 방한 결과를 토대로 사업재개 문제가 검토될것으로 본다고했으며, 금후 한국이 유엔 가입과 함께 ILO 에 가입하게되면 아국의 노동권 문제(결사의 자유등)를 노동 단체들이 ILO 에 제기할것으로 예견되므로 아국이 ILO가입전에 ILO 의 전문가등을 활용하여 아국의 노동법 및 제도등에 대한 전반적인 검토를 함이 좋을것이라는 의견을 제시함.

(대사 현홍주-국장)

91.12.31 까지

일반문서로 재분류(1991.12.기.)

PAGE 2

" 노사관계 안정 "

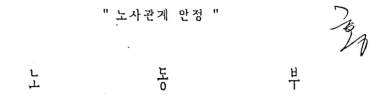

노　동　부

국제　32220-1347)　　　　(504-7338)　　　　　　1991. 9. 18

수신　외무부장관

참조　미주국장 (북미1과장)

제목　자료 송부

　　　미국 노동성 극동담당관인 Glenn Halm이 당부를 방문 ('91.9.18) 관계국장

과의 면담내용을 보내오니 주미대사관 (노무관)에 송부하여 주시기 바랍니다.

첨부　면담내용 1부.　끝.

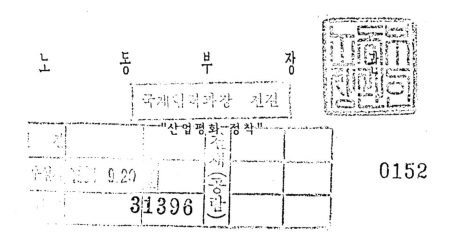

0152

Glenn Halm 면담 내용

1. 일 시 : 1991. 9. 17 (화) 16:00 - 17:00

2. 참석자

   ○ 미국측 : Glenn Halm

   　　　　　John C. Law

   ○ 한국측 : 김상남 노정기획관외 2명

3. 주요 면담내용

   ○ Glenn (문)

   - 공익사업체의 노동권에 대해 설명 요 (철도청, 전매공사, 한국통신)

   - 수출자유지역 근로자의 노동권에 대한 설명

   - 방위산업체에 대한 파업권 제한에 대한 설명

   - 공무원, 교육공무원에 대한 노동권 설명

   ○ 김상남 국장 (답)

   - 공익사업체는 단결권, 단체교섭권이 인정되며 단지 파업권에 있어 중재
     결정시 냉각기간동안 파업금지

   - 수출자유지역 근로자에 대해서는 노동3권에 대한 어떠한 제약도 없음.

   - 방위산업체에 대한 파업권 제한이 있음. 그러나 한기업이 여러개의 공장
     이 있을 경우 군수공장에 한해서만 파업권이 제한됨.

0153

- 공무원, 교육공무원은 헌법과 법률에 의해서 단결권 금지되며 사실상 노무
  에 종사하는 공무원만 단결권 인정
  · 한국교총은 단체교섭권은 아니나 정부와 협의할 수 있는 권한이 있음.
  · 한국의 공무원 신분보장은 철저함.

o 김상납 (문)
- 대부분의 나라가 공무원에 대해서 약간의 차이가 있으나 노동3권에 대한
  제약을 두고 있는데 미국은 어떠하냐

o Glenn (답)
- 미국의 공무원은 단결권은 인정되나 단체교섭권 및 단체행동권은 없음.

분류기호 문서번호	국기 20335- /92	협조문용지 (720-4050)		심의관			
			결 재	담당	과장	국장	
시행일자	1991. 9. 25.						
수　신	미주국장	발　신		국제기구국장			
제　목	우리나라 노동현실 관련 자료						

　　　　　　대 : 미일 0160-1911

　　　　　대호, 미국 통신 노조의 우리나라내 구속 노조지도자 석방요청

　　및 ILO 가입시 ILO 헌장과 우리 노동법 개정과 관련, 노동부에서 작성한

　　자료를 별첨 송부합니다.

　　　　첨 부 : 1. Opinion on the Detained Laborers 1부.　　기송부

　　　　　　　 2. ILO 헌장과 한국 노동법과의 관계 사본 1부.　끝.

0155

Opinion on the Detained Laborers

'91. 9.

Ministry of Labour

Republic of Korea

1. Overview

The right of labor is fully guaranteed as far as they do peacefully union activities in due process of labor laws and the Constitution in Korea.

Most of the detained laborers were arrested for the violations of regulations of penal laws, i.e. violence, technical interference with police operation, incendiarism and actions against the National Secuity Law, which have no direct relations with a labor movement, but very few are the laborers who were detained for the violation of pure labor laws.

So it is not a right view to link individual laborers detained for the violation of general penal laws with the suppression of the labor movement. Only 7 are now detained for the offence of pure labor laws among the laborers arrested during and before 1991 and now detained. And all the other detained laborers prove to be arrested for concurrent offences of other laws or for the violation of the National Security Law or general penal laws.

It is true that more than 10 were arrested related to illegal labor movement at some particular companies, i.e. Daewoo Car Engineering, Daewoo Ship-building Company, Dongyoung Alluminfum and Kia Car Engineering.

But in all these cases were used illegal means, such as mass demonstration, violence, destruction and occupation of facilities, beyond the range of pure labor movement. So judicial measures were inevitable to a few leaders related to these illegal actions in a way to settle the disputes peacefully and to protect the majority of laborers.

Truly the labor movement in Korea was somewhat contracted in 1960-1970, the early stage of industrialization. However, since the political and social democratization measures in 1987, the right to labor has extended rapidly and the labor movement has also been activated.

Nowadays the labor movement in Korea can be divided into two trends. One is the labor movement group of economic unionism led by the institutionalized trade unions like FKTU (the Federation of Korea Trade Unions), and the other is that of extremism and radicalism based on the ideology of communist revolution.

0158

The labor movement group of economic unionism, an absolute majority amounting to more than 90% regarding the size of trade union and the number of its members, holds fast to the line opposing political labor movement and concentrating its efforts on elevation of the economic status of union members, such as the improvement of working conditions.

But the minor radical labor movement faction, composed of Chonnohyop and the opposition labor movement forces, condemns economic unionist as a company union and prefers political and class struggle to the improvement of economic interest of union members.

Especially the radical labor movement faction defines the government and the owners of companies as enemies, and intends to take advantage of the labor movement as a means to upset the establishment by agitating labor that they cannot achieve the so-called 『labor liberalizations』, of which the labor class cannot be the master, without defeating them.

While the faction makes a few laborers who follow its line go ahead, it is maneuvering the illegal labor movement with violence and destruction as a means of antigovernment or government resignation struggle.

0159

There would be no country that permits violent and destructive labor movement aiming at overthrowing the legitimate regime. And it is expressly provided, in article 1 of No. 135 of the ILO convention on workers' representatives, that is, workers' representatives in the undertaking shall enjoy effecive protection against any act prejudicial to them, including dismissal, based on their status or activities as a workers' representative or on union membership or participation in union activities, in so far as they act in conformity with exsiting laws or collective agreements or other jointly agreed arrangements.

The government will protect positively law-abiding and fair labor movement, but cannot but restrict illegal and extremist activities of the minor radical labor factions, such as Chonnohyop which denies the basic order of liberal democracy and leads regime-changing struggles. And the government will lead some trade union, and union members, who follow the line of revolution, to return the line of law-abiding labor movement.

0160

2. Main Cases of Detainees Involved in Illegal Activities

A. Individual Cases

[Case 1]

The person denied the present Capitalist system, indulged in fierce struggle, and took the lead of illegal collective actions, radical demonstrations and disturbance of court.

■ Name : Ko Choon Mee

■ Position : Trade Union of Choongwon Electronics

■ Facts constituting an offence

ㅇ Group action under the cover of welcoming the release of discharged persons and struggling for their resumption

- She committed a group action under the cover of welcoming detainees on 31 October 1990, making 150 union members suspend their operations and gathering them into the company yard.

- And by doing so, she used violence to 2 company officers and brought about a failure in production.

0161

— She continued the collective boycott of work from 16 January to 18 January 1991 under the cover of attendance struggle for resumption of discharged persons.

◊ Taking the lead of disturbance of court and illegal rallies

- She took the lead of 10 times of disturbance of court by shouting slogans and singing labor-songs during public trials of the accused from 26 March to 30 August 1990.

- Especially on the 6th trial of the accused Kim Jum Soon held on 16 August 1990, she led the illegal rally inside and outside the court with disturbance, slogans and songs by heckling witnesses and ' abusing at the public prosecutor.

0162

[Case 2]

The person took the lead of extreme violence by blocking the main gate during the illegal strike, obstructing the entrance of anyone except unionsts, and keeping ready fire-bottles, iron spears and pipes.

■ Name : Oh Hong Kyu

■ Position : Dongshin Industry Co. Ltd.

■ Facts constitating an offence

◊ He interfered the conduct of company by illegal collective actions

- He caused the company much inconvenience and loss by continuously leading dozens of illegal collective actions from 2 Feburary to 22 April 1991, without due process of and without cooling-off period in the Labor-Dispute Adjustment Law.

◊ Use of fire-bombs and other violence

- He interfered the operation by the exercise of force by spraying the powder fire extinguisher, pouring water and flying sawdusts with big electric fan to 5 managerial officers who were carring out important documents of the company.

0163

- After making and keeping tens of fire bombs, iron spears, pipes and scantlings, he took the lead of extreme violence, i. e. throwing fire bombs, sprinkling petroleum, brandishing iron pipes at the police who were on duty 2 June 1991.

0164

[Case 3]

    The person took the lead of illegal demonstrations with unlawful collective actions, violence and incendiarism disregarding the due process of law and did harm to the public peace and order by carrying and spreading the seditious books salutary to the North Korea, an anti-state organization.

■ Name : Seo Woo Kun

■ Position : Trade Union of Hyosung Heavy Industry

■ Facts constituting an offence

◊ He took the lead of interfering the operation of company with illegal collective actions.

    - He interfered the normal operation of company by leading illegal demonstrations, collective early leaving-off, idling of machine and collective strikes from 1 February to 22 Feburary 1989, and from 21 April to 27 April 1989 with a view to realizing the demand on paying for the paid vacation and bonus of New Year's Day without respect of legal procedures.

0165

◊ He took the lead of illegal demonstrations with violence and incendiarism.

- He called together 700 unionists under the cover of protesting the arrest of a union leader on 27 April 1989, advanced to the street through the main gate of company, threw fire bombs and stones at the police who were blocking them, and set fire to the drum cans in petroleum and rolled them at the police.

- He led the violent demonstrations by calling together 700 unionists and making them protest in the street under the cover of participating in the 100th memorial event of May Day on 1 May 1989, and by calling together 500 labors and making them demonstrate in the street with a view to supporting the dispute of other unions on 29 May.

◊ Carrying and Diffusing Seditious Books

- He carried a book "Philosophy worth of human being" written by Chae Kwang Suk which supports the class struggle of communist theory and regards Korea as a colony of foreign states, sympathized with it and diffused it to others.

0166

[Case 4]

    The person committed a use of force in participating actively in
illegal meetings for political purpose without any relation with
labor movement.

■ Name : Jung Ki Ho

■ Position : Trade Union of Kia Engincering Co. Ltd.

■ Facts constituting an offence

◊ He took the lead of use of force, in participating actively in illegal
meetings and demonstrations.

◊ He participated actively in "the 3rd Town Meeting for the retirement of
◊ ◊ ◊ cabinet which committed violent munder and breakdown of people's
life." in front of the Core Bakery at Happo District in Masan

◊ In the course of demonstrating as scattered by police obstruction, he
occupied the road, paralyzed the traffic and shouted the slogan,
"Retirement of ◊ ◊ ◊, Disolution of DLP (Democratic Liberal Party) with
a mob of 300 or so at about 18:10 on the road before the Dae-sin Stock
Company.

0167

o At about 19:10 he occupied the road before O-dong Arcade, carried iron pipes in front of the demonstrating group, shouted the slogans, "Disolution of the National Security Planning Agency and Disolution of DLP", and threw 3 fire bombs, 2 stones and so on with a demonstrating crowd of 300 or so.

0168

```
┌─────────────────────────────────────────────────────────────────┐
│  [ Case 5 ]                                                        │
│                                                                    │
│       The person used violence with a majority of force and interrupted │
│   the normal business of the hospital in demanding withdrawal of dismissal. │
└─────────────────────────────────────────────────────────────────┘
```

■ Name : Kim Mee Rim

■ Position : Trade Union of Dae Sung Hospital

■ Facts coustituting on offence

   ◊ She used violence with a majority of force and interrupted the business

   ◊ She committed the action of disturbance by shouting slogans and labor songs with other 10 discharged persons at the waiting room for treatment and diagnosis on 19 July 1990.

   ◊ She committed the action of disturbance by abusing, "Kill the flattering guy", and singing labor songs and interfering the patients and their guardians from incoming and ontgoing at the enterance on 27 August.

   ◊ She committed collective violence to the administrative officers who were obstructing the sit-in struggle at the lobby of hospital, and so inflicted on them the wounds that took 3 weeks to heal on 6 December.

0169

◊ She committed the action of disturbance by shouting slogans and labor songs in unison at the waiting room for treatment and diagnosis with 30 other labors under the control of Chonnohyop on 20 December.

◊ She interfered the cars from passing in and out the hospital by showing off a majority of force while she collected 200 laborers under the control of Chonnohyop and shouted labor songs and slogans, "Punish Hong Young Hee, Arrest Hong Young Hee conspiring with the ◊◊◊ regime" before the hospital on 25 January 1991.

◊ Defamation of character with printed matters.

  - She committed defamation of the hospital and its executive by distributing and adhering matters, which slandered the hospital, all over the Pucheon city, including the Pucheon Station, from 17 September 1990 to 25 January 1991.

0170

[Case 6]

   The person was arrested for private illegal act having no relation
with the union activites or labor movement.

■ Name : Seo Sang Sop

■ Position : Trade Union of PoHang Steelworks Complex

■ Facts constituting an offence

  ◊ Fraudulent practices having no relation with the union activities

    - He was offered money and other articles by the executive of Se Won Co.
      Ltd, souvenir supplier, located in Seoul on the condition that he would
      use his influence to deliver Se Won goods to the PoHang Steelworks
      Complex.

  ◊ But he did not keep his word and was accused by the offerer of money and
    other articles.

  ◊ So he was arrested on the suspicion of frandulence and the like on 19
    January 1991.

0171

B. Group Cases

[Case 1]

The person interrupted the conduct of business through the illegal demonstrations and strikes, protesting the arrest of the chairman of trade union that they belonged to.

■ Name : Choi Yong Joo and 29 others

■ Position : Trade Union of Daewoo Moter Company

■ Facts constituting an offence

◊ They took the lead of the all-out shutdown of operations without due process of labor laws through slow-down strikes, boycott, street demonstrations and sit-down strikes from 11 February to 27 February under the slogan of political demands, which were the release of the trade union leader Lee Eun Koo, the suspension of pressure on labor movement and the retirement of Roh regime.

◊ In an reaction against the arrest of a leader of illegal actions, Choi Yong Joo who were detained on the suspicion of the interference in execution of.duty, they took the lead of illegal actions by occupying the road at the main gate, throwing stones at the police, setting fire at the company petrol car and at the Stars and Stripes and confining policemen.

0172

[Case 2]

The persons interrupted the business of cars of union members of other company, who did not join the dispute.

■ Name : Jung Sang Kee and 39 others

■ Position : Trade Union of Taxi Enterprise in Seoul

■ Facts constituting an offence

◊ Taking the lead of illegal acts

- 4,000 members of Taxi Enterprise in Seoul took the lead of the wage-struggle meeting at the Jang Choong Park on 7 May.

- They took the lead of horn-demonstration by mobilizing 500 taxicabs of Seoul region at the Transportation Hall on 7 June.

- They took the lead of the meeting for briefing wage-struggle by mobilizing 2,000 union members at the Transportation Hall on 13 June and 17 June.

◊ Taking the lead of actions taken in a labor dispute during the cooling-off period.

0173

- They took the lead of illegal actions of labor dispute from 12 June to 27 June, even though it is prohibited to take actions of labor dispute during cooling-off period after reporting the outbreak of dispute on 12 June.

o Breakage of cars and interruption of the conduct of business

- They took the lead of violent actions by interrupting the business of cars in service and breaking the cars on the ground that union members did not join in the strike after participating in the meeting for briefing the result of wage-struggle on 13 June 1991.

0174

[Case 3]

The persons inflicted serious or slight burnt on 30 policemen by spraying sulphric and hydrochloric acid to the policemen on service to absolve the sit-in struggle by the trade union occupying illegally the place of business.

■ Name : Jung Chang Suk and 26 others

■ Position : Trade Union of Dong Young Alluminium Co.

■ Facts constituting an offence

◊ Interruption of business

- They took the lead in interrupting the conduct of business by occupying the place of business, blocking the front door, and deterring managerial officers except union members from passing in and out, while rushing in an all-out strike from 31 May 1991.

- They took the lead in inflicting the director of production by illegal actions, i. e. spraying water and bunker C oil to the manager of company and other 30 managerial officers who tried to penetrate into the company on 7, 8 June.

0175

◊ Interruption of public business

- They took the lead of interruption of public business as they inflicted burnt on 30 policemen by spraying "hydrochloric" and "sulphuric" acid to the policemen penetrating into the place of business to arrest a union leader Jung Moo Sung and 5 others, to whom arrest warrants were already issued on 24 June 1990.

- 2 of the policemen inflicted were in peril of losing their eyesight from the facial burn.

0176

[Case 4]

The persons committed radical and extreme use of violence by occupying the place of business and detaining the staffs of company while demanding a re-negotiating of wage, even though a negotiation wage was concluded by legitimate representatives of capital and labor.

■ Name : Park Heung Kui and 27 others

■ Position : Trade Union of Kia Motors

■ Facts constituting an offence

◊ Interruption of business

- 2,000 members of the union took the lead of illegal sit-in struggles by blocking the front gate of company and controlling in and out passage from 28 June 1991.

◊ Violation of laws on the punishment of violent actions and use of fire bombs

- They took the lead of illegal use of forklifts for business use in blocking the entrance at the front gate with a file of parts.

0177

- They took the lead of illegal occupation with destroying windows of
  the company institute by guiding 300 vanguard members on 29 June.

- They manufactured fire bombs after breaking the door of warehouse and
  seizing or capturing 67 cans of petroleum in 20 liter from 16 o'clock
  on 29 June.

- They took the lead in illegally detaining 5 staffs, as well as vice-
  manager of company and illegal kidnapping the managing director of
  company after breaking windows of the entrance gate of the institute
  in Kia Town.

0178

[Case 5]

    The persons, as members of the union of the defense industry,

committed extreme violent actions by breaking facilities of company

and throwing fire bombs.

■ Name : Lee Chang Kee and 25 others

■ Position : Trade Union of Dae Woo Precision Co.

■ Facts constituting an offence

◊ They took the lead of illegal strikes with 1,200 union members from 15
May to 2 June 1991, even though they who are engaged in the defense
industry, cannot take actions of a labor dispute.

◊ They took the lead of group assault on 7 managerial officers with tens
of union members masked at night on 17 May.

◊ 150 union members burst into the third company, exploded 13 tear gases,
expelled 80 laborers in operation, broke facilities of company with iron
pipes, and welded 4 gates of the company, for the company not to operate.

0179

ILO 헌장과 한국 노동법과의 관계

o ILO 헌장은 ILO의 基本情神을 담고있는 문서로서 前文에 ① 다수국민에 대한 노동 조건을 개선함으로써 사회정의 및 세계평화의 달성 ② 노동시간의 규제, 노동력 공급의 조정, 실업방지, 연소자·여성 보호, 동일노동 동일보수의 원칙 승인, 결사의 자유 원칙 승인 등을 ILO의 目的으로 규정하고 있음

o 이중 특히 쟁점이 되는 결사의 자유에 대한 기본정신은 아국 법규 및 제도에 대부분 반영되어 있으므로 ILO 가입에 따라 별도의 노동법 개정이 필요치 않음
   - 헌법 33조에서 근로자의 노동 3권 보장을 명문화하고
   - 노동조합법에서 자유로운 노조의 설립보장, 자율적 단체교섭을 통한 협약체결 보장, 사용자의 부당노동행위 규제 및 구제절차 등을 규정하고 있음

o 다만 결사의 자유 원칙과 관련하여 공무원, 사립학교 교원 단결금지, 복수노조 금지, 제 3자 개입금지, 노조의 정치활동 금지, 방위산업체 종사근로자의 쟁의 행위 금지 등의 조항이 ILO 조약과 배치되는 것으로 해석될 가능성이 있으나 한국 노사관계 현실의 특수성이 인정되어야 할 것임.

※ 첨 부 : 주요 쟁점 사항에 대한 견해

0180

o ILO는 기본적으로 회원국의 주권을 중요시하여 ILO 조약의 비준 여부를 전적으로
   각국에 위임하고 있음

   - ILO 헌장 기본정신의 준수의무 (특히 결사의 자유원칙 승인) 가 반드시 제 87호
     결사의 자유에 관한 조약의 비준을 의미하는 것은 아니며

   - 그 예로 미국, 중국, 싱가폴, 브라질, 이란, 터어키 등 ILO 회원국의 약 1/3인
     51개국은 아직 제 87호 조약을 비준하고 있지 않음

0181

주요 쟁점 사항에 대한 견해

공무원, 사립학교 교원의 단결금지

〈 현 행 제 도 〉

■ 공무원은 노동운동, 기타 공무이외의 일을 위한 집단적 행위를 하여서는 아니된다. 다만, 사실상 노무에 종사하는 공무원(철도, 우편)은 예외로 한다.

■ 이 유

ㅇ 1948년 정부가 수립된 이후 우리나라 공무원들은 국가건설의 주체로서의 역할을 맡아왔으며, 국민으로 부터 "무한봉사자"의 책임을 부여받아 왔고, 이러한 역할과 책임은 오늘의 한국공무원에도 크게 변함없이 적용되고 있음.

또한 공무원의 보수는 국회에서 확정된 예산에 따라 결정되는 것일 뿐 아니라, 우리 사회분위기에서는 공무원(군인, 경찰포함)이 일반 근로자들과 마찬가지로 노동조합을 결성하고 단체교섭을 통하여 보수를 인상시키며 근무시간을 단축하려고 하는 것은 아직은 이해될 수 없는 사항으로 일반적으로 인식되고 있는 것이 현실임.

0182

o 이와같은 배경에서 헌법에서도 공무원의 노동3권은 제한할 수 있도록
  특별한 규정을 두고있는 것임.

o 학교교사는 공무원과 마찬가지로 그 직무의 특수성에서 고도의 사회적
  책임을 부여받고 있으며, 이에는 공립학교 교원이든 사립학교 교원이든
  차별이 있을 수 없음.

  - 또한 헌법에서 보장한 국민의 『교육받을 권리』를 실효성있게 보장
    하고, 공공의 이익인 교육제도의 본질을 지키기 위해서는 학교교사
    의 근로관계를 일반 근로자의 근로관계와 동일시 할 수는 없는 것임.
    (헌법재판소는 '91.7. 사립학교 교사의 노조가 입을 금지하고 있는
    사립학교법에 대해 위헌이 아니라고 결정한 바 있음)

※ 공무원의 노동권이 제약되어 있다는 점을 고려하여 정부는 공무원과
  교원의 처우와 근무환경 개선에 꾸준히 노력해 온 결과 공무원의
  평균 보수가 지속적으로 상승하고 있으며, 근무조건에 관련된 공무원,
  교원들의 요구 사항을 적극적으로 수용해 나가고 있음.

복수노조 금지

현 행 제 도

■ 노동조합법은 새로이 설립되려는 노조가 기존 노조의 정상적 운영을 저해할
 목적으로 하는 것이거나 기존노조와 조직대상이 중복되는 경우에는 노동
 조합으로 인정하지 않고 있다.

■ 이 유

o 이 규정은 설립된지 2-3년밖에 안되는 노조가 전체의 2/3를 차지하는 우리
 노사관계 현실에서 기존 노조가 제대로 지도력을 확보하지 못한채 1개
 사업장내에 여러개의 노조가 난립하는 것은

 - 오히려 근로자들의 근로조건 향상이라는 노조의 본래의 기능을 제대로
  수행할 수 없게 할 뿐만 아니라

 - 사업장내에서 노노분쟁만 초래할 소지가 있기 때문에 이를 미연에 방지
  하기 위한 것임.

0184

제3자 개입 금지

〈 현 행 제 도 〉

■ 노동조합법과 노동쟁의조정법은 당사자 이외의 제3자가 노동조합의 운영과 쟁의 행위에 관하여 조종·선동·개입하는 것을 제3자개입행위로하여 금지시키고 있다.

■ 이 유

o 당사자 자치주의의 구현을 위해 노동조합은 근로자의 자유의사에 의하여 설립되고 운영되어야 하며, 단체교섭, 쟁의행위와 관련하여 제3자의 간섭이나 개입이 배제 되어야 한다는 것은 너무나 당연한 일임.

- 그러나 한국에서는 노동문제를 그들의 급진적인 정치활동에 이용하려고 하는 세력이 있으며, 이들은 끊임없이 노조의 조직, 단체교섭 및 쟁의행위에 개입 하여 그들의 정치적 목적을 이루고자 시도하고 있는 것이 현실임.

o 제3자개입금지 규정은

- 이와같은 외부세력의 간섭과 개입으로부터 노동조합의 자주성과 민주성을 보호 하여 노사관계에서 당사자 자치주의의 실현을 위한 중요한 역할을 수행하고 있음

o 변호사등이 직무 범위 내에서 단순한 자문 등을 하는 것은 현행규정의 해석으로도 가능함.

※ 헌법재판소는 '90.1.15. 제3자개입금지 조항이 위헌이 아니라는 결정을 한바 있음.

0185

노동조합의 정치활동 금지

〈 현 행 제 도 〉

■ 노동조합이 공직선거에서 특정 정당을 지지하거나 특정인을 당선시키기 위한 행위, 조합원으로 부터 정치자금의 징수, 노조기금을 정치자금에 유용하는 행위는 금지되고 있다.

■ 이 유

ㅇ 노동조합의 정치활동을 전면 허용할 경우 노동조합이 몇몇 노조 지도자들의 정치적 욕구를 충족시키는 수단으로 이용되거나 불필요한 정치활동에 소모적인 노력을 기울임으로써 본래 노조활동의 목적인 근로조건의 유지.개선에 등한할 우려가 큼.

　- 더구나 노조원으로 부터 정치자금을 징수하거나 조합기금을 정치자금으로 유용하는 것이 허용된다면 조합재정 부실로 노조원의 부담이 증대되고 정당과 노조의 유착 심화로 노조의 자율성이 침해될 것임.

ㅇ 따라서 대부분 기업별 노조 형태로 되어 있는 한국현실에서 노조가 이러한 정치활동을 하는 것은 부적당 하다고 하지 않을 수 없음.

ㅇ 노동조합이 직접정치에 참여하거나 정치자금을 징수하는 등의 활동은 선진국에서도 그 예를 별도 찾을수가 없는 실정임.

ㅇ 현행법하에서도 노동조합의 목적달성을 위한 정부.국회등에 대한 청원.합법적 로비 등의 정치활동은 광범위하게 인정되고 있으며, 조합원도 개인 자격으로는 정당가입, 특정후보 지지등의 정치활동에 어떠한 제한도 없으므로 노동조합의 이름이 아닌 개인자격의 참정권 행사에는 문제점이 없음.

0186

주요 방위산업체 종사 근로자의 쟁의행위 금지

─────── 〈 현 행 제 도 〉 ───────

■ 주요방위산업체는 국가안보의 유지 차원에서 헌법 제 33조 제 3항에 근로자의 단체
  행동권을 제한할 수 있도록 규정되어 있고 이에 근거하여 "방위산업에 관한 특별
  조치법" 과 "노동쟁의조정법" 에 따라 주요 방위산업체를 지정하고 관련 근로자들
  의 쟁의행위를 금지하고 있다.

■ 이   유

◇ 남북 분단상황이 지속되고 있는 현재로서는 국가안위와 직접 관련되는 주요 방위
  산업체에 종사하는 근로자의 쟁의행위는 일반사업체 근로자들의 쟁의행위 보다 엄격
  하게 제한할 수 밖에 없음.

※ 정부는 근로자의 쟁의권이 과도하게 침해받지 않도록 '89년 8월에 ① 주요방위산업
  체의 수를 축소하였고, ② 특정 사업체가 주요방위산업체라 하더라도 방산물자
  생산에 영향을 주지않는 장소적으로 분리된 민수물자생산공장에 근무하는 근로자는
  쟁의행위를 할 수 있도록 지정 방법을 개선하는 조치를 취하였음.

0187

외 무 부

관리 번호	9/- 2기ㅣ

종   별 :

번   호 : USW-4832   일   시 : 91 0930 1902

수   신 : 장 관 (미일,정특,기정,해신)

발   신 : 주 미 대사

제   목 : 북한 인권문제(북한 개방 유도)

1. 금 9.30. NORMAN HASTINGS 북한 담당관은 당관 김서기관과의 접촉시 현재 국무부는 각국의 인권상황을 취합, 인권보고서의 발간 준비를 하고 있으나, 북한에 대한 자료가 빈약하다고 하면서, 아측이 공개적으로 제공하여도 좋을 자료가 있으면 기 발표된 내용이라도 적절히 미측에 알려줄 것을 요청함.

2. 전기 미측 요청을 감안할때, 아측이 그간 귀순자의 증언, 재일동포의 방북 기고등 여러가지 공개자료와 기타 적절한 자료를 종합하여 미측에 전달하여 주면, 북한의 인권상황에 대한 좋은 홍보가 될뿐만 아니라 아측의 장기적 대북한개방 유도에도 도움이 될 것으로 사료되니, 가급적 조속 협조 조치바람. 끝.

(대사 현홍주-국장)

일 반 문 서 예고:제91. 12. (31. 일반 .)

검 토 필 (199/. (2.31.)

미주국 공보처	장관	차관	1차보	2차보	외정실	분석관	정와대	안기부

PAGE 1

91.10.01   08:43

외신 2과 통제관 BW

0188

정 리 보 존 문 서 목 록

기록물종류	일반공문서철	등록번호	2012080155	등록일자	2012-08-28
분류번호	701	국가코드	US	보존기간	영구
명 칭	한국 인권상황 관련 미국 동향, 1990-91. 전5권				
생 산 과	북미1과	생산년도	1990~1991	담당그룹	
권 차 명	V.5 1991.10-12월				
내용목차	* 1991.11.12-15. Schifter, Richard 미 국무부 인권차관보 방한 * 케네디 인권상 시상식 참석차 미국 방문 허가 관련(인재근)				

0001

외 무 부

종 별 :

번 호 : USW-4832

일 시 : 91 0930 1902

수 신 : 장 관 (미일,정특,기정,해신)

발 신 : 주 미 대사

제 목 : 북한 인권문제(북한 개방 유도)

　　1. 금 9.30. NORMAN HASTINGS 북한 담당관은 당관 김서기관과의 접촉시 현재 국무부는 각국의 인권상황을 취합, 인권보고서의 발간 준비를 하고 있으나, 북한에 대한 자료가 빈약하다고 하면서, 아측이 공개적으로 제공하여도 좋을 자료가 있으면 기 발표된 내용이라도 적절히 미측에 알려줄 것을 요청함.

　　2. 전기 미측 요청을 감안할때, 아측이 그간 귀순자의 증언, 재일동포의 방북 기고등 여러가지 공개자료와 기타 적절한 자료를 종합하여 미측에 전달하여 주면, 북한의 인권상황에 대한 좋은 홍보가 될뿐만 아니라 아측의 장기적 대북한개방 유도에도 도움이 될 것으로 사료되니, 가급적 조속 협조 조치바람. 끝.

　　(대사 현홍주-국장)

　　예고: 91.12.31. 일반

일반문서로 재분류(1991 . 12 . 31 .)

미주국 공보처	장관	차관	1차보	2차보	외정실	분석관	정와대	안기부

PAGE 1

91.10.01　08:43

외신 2과 통제관 BW

0002

공   란

공   란

공   란

공   란

공 란

공   란

공 란

공 란

공   란

FACSIMILE TRANSMITTAL NO: OFFICIAL/PERSONAL   DATE : 10/1/91
                                                                       URGENT: YES/NO

TO: Yoo Kook Hyun, Director   Human Rights Division, Ministry of
          ADDRESSEE   TITLE/AGENCY   Justice

FAX NO: 503-7046

FROM: Peter Roe   POL
          NAME   SECTION   SECTION CHIEF CLEARANCE

SUBJECT: Human Rights Inquiry

TOTAL NO OF PAGES INCLUSIVE OF THIS COVER: 2

CPU AMEMB SEOUL, KOREA
82 SEJONG-RO, CHONGRO-KU
SEOUL 110-050, KOREA
FAX NO: 82-2-738-8845, TELEPHONE NO: 82-2-732-2601

0012

Embassy of the United States of America
Seoul, Korea

October 1, 1991

Director Yoo Kook Hyun
Human Rights Division
Ministry of Justice
Kwachon

Dear Mr. Yoo:

Thank you for the information you provided last month on three human rights cases.

There is considerable interest in the U.S. about the status of Rev. Hong Keun Soo. I would greatly appreciate it if you could keep the Embassy informed as to changes in the case, particularly when the appellate court announces its verdict.

There is also interest in the U.S. concerning the August 13 arrest of Park Soon-Kyung, a 69-year old Korean theologian, for violating the National Security Law. As your Division has done in previous cases, we would like to receive information on the case of Park Soon-Kyung which we can provide to Congressional offices.

Sincerely,

Peter Roe
Second Secretary

0013

외 무 부

종 별 :

번 호 : USW-5078　　　　　　　　　　일 시 : 91 1017 1521

수 신 : 장관 (협약,미일,국기,노동부,경제수석)

발 신 : 주 미 대사

제 목 : 국제노동기구(ILO 가입)

　　대: WUS-4599

　　당관 공덕수 노무관이 10.16. 노동부 MARION HOUSTON 국제기구 국장을 면담, 확인한 사항을 하기와 같이 보고함.

　　1. 미국의 ILO 협약 비준은 그 절차상 1 차적으로 노사정 3 자로 구성되는 ILO 에 관한 대통령 위원회(PRESIDENT'S COMMITTEE ON THE ILO)에서 비준코자 하는 ILO 협약에 대해 노사정 전원의 찬성을 얻어야 함.

　　동 위원회에서 노사정 전원의 찬성을 얻게 되면 ILO 협약의 국제조약적 측면에서 국가간의 조약체결과 동일하게 상원비준및 대통령 재가등의 절차를 거쳐 비준을 확정함.

　　- ILO 에 관한 대통령 위원회는 노동부장관, 미국노총(AFL-CIO) 위원장, 국제비지니스 위원회 위원장(사용자 대표, PRESIDENT OF U.S. COUNCIL FOR INTERNATIONAL BUSINESS), 국무부 장관, 상무부 장관및 대통령 안보담당 특별보좌관으로 구성되며, 그 산하에 실무위원회로서 국제 노동기준 3 자 자문위원회(TRIPARTITE ADVISORY PANEL ON INTERNATIONAL LABOR STANDARDS, 노사단체및 국무부, 노동부, 상무부의 법률전문가로 구성)를 두고 있음.

　　2. 특정 ILO 협약에 대한 비준은 동 위원회에서 ILO 협약과 현행 미 연방및 주노동법(50 개주가 상이함)과의 일치여부, 노사정 3 자간의 이해관계, 정치적 측면등을 검토하여 결정하는데 ILO 협약 제 87, 98, 151 호는 노사정간의 이해 관계의 불일치및 주 노동관계법과의 상충등으로 동 위원회에서 심의하지 못하고 있는 실정이라고함.

　　3. 제 87, 98 및 151 호 협약의 비준 전망에 대해서는 제 87 호 협약은 현재 제 111 호 (고용과 직업의 차별에 관한 협약)및 제 150 호(노동행정에 관한 협약) 협약과

조약국	장관	차관	1차보	2차보	미주국	국기국	분석관	정와대
안기부	노동부							

PAGE 1　　　　　　　　　　　　　　　　　　　　91.10.18　　05:39

　　　　　　　　　　　　　　　　　　　　　　　외신 2과　통제관 CD

　　　　　　　　　　　　　　　　　　　　　　　　　0014

함께 실무위원회인 국제 노동기준 3 자 자문위원회에서 차기 비준 준비를 위해 검토하고 있으나, 제 98 호 및 151 호는 현재로서는 동 실무위원회의 검토대상에 포함되어 있지 않기 때문에 금후 상당한 기간이 경과해야 할 것으로 전망함.

4. ILO 는 제 87 및 98 호 협약의 비준여부와 관계없이 ILO 회원국에 대해 동 협약의 원칙(PRINCIPLE)을 채택할 것을 요구하고 있어 미국도 제 87 및 98 호의 협약을 비준하지는 않았지만 동 협약의 원칙은 채택하고 있다고함. 미국이 GSP 등과 관련하여 국제적으로 인정된 노동권 문제(결사의 자유및 단체교섭 포함) 제기할 수 있는 것도 이러한 배경과 연관된다고 함. 끝.

(대사 현홍주-국장)

예고: 91.12.31. 까지

일반문서로. 재분류(1991. 12.시.)

원 본

외 무 부

종 별 :

번 호 : USW-5082   일 시 : 91 1017 1646

수 신 : 장 관 (미일,기정)

발 신 : 주 미국 대사

제 목 : 인권단체 서한

　　1. 뉴욕소재 케네디 대봉령 추모사업회 인권센타는 10.15 본직에게 보내온 별첨 김기춘 법무부 장관앞 서한 사본을 통해 동 단체가 지난 1987 년 김근태와 부인 인재근에게 인권상을 시상키로 결정하고 그해부터 매년 11 월에 개최되는 동 인권상 시상식에 동인들을 참석시키려 하였으나, 한국정부에 의해 동인들의 출국이 금지되어 왔음을 상기시키고, 금년에도 11.20 개최되는 인권상 시상식에 부인 인재근을 참석시키려 하고 있으나 여전히 자신들의 노력이 저지되고 있다고 하면서, 우리정부가 인제근 방미를 허용하는 신속하고 일치된 조치를 취해 줄것을 요청하여 왔음.

　　2. 본건관련, 상기 단체 문의시 답변에 참고코자 하니 정부의 방침및 동 배경설명 자료를 지급 전문 회보바람.

　　첨부: USW-4359. 끝.

　　(대사 현홍주-국장)

　　예고: 92.6.30. (일반)

검 도 필 (19

일반문서로 재분류

미주국　　장관　　차관　　청와대　　안기부

91.10.18　　10:46
외신 2과　통제관 BS
0016

USWA-4359
수신: 장관(미일,기정)
발신: 주미 대사
제목: 인정단체서하는

RK

ROBERT F. KENNEDY MEMORIAL
CENTER FOR HUMAN RIGHTS
12 East 33rd Street • 7th Floor • New York, NY 10016
212/679-4120 • 212/679-2517 Fax

Kerry Kennedy Cuomo
Executive Director

October 15, 1991

Kim Kee-Choon,
Minister of Justice
427-760 Kwachon City
Choong Ang-Dong, Seoul
REPUBLIC OF KOREA

Dear Minister Kim:

Once again we are appealing to your government to permit Ms. In Jae-Keun to come to the United States. The Robert F. Kennedy Memorial Center for Human Rights gave its annual human rights award to Ms. In and her husband in 1987. That year, and each year since then, we have hoped that they might come to our human rights ceremony in November.

Last year, in light of increased dialogue between North and South Korea and the improvements of which your government has been so proud, we were hopeful that your government would permit Ms. In and her children to come in November. We were strongly disappointed when such permission was denied.

Again, we are trying to arrange her visit. We did not intervene initially, because we had hoped that in light of changes in your country, such intervention would not be necessary. We are dismayed to learn, however, that she has again encountered resistance and delays.

We urge you to take concerted and speedy measures to allow Ms. In to come to the United States. We are prepared to welcome her, and are hopeful that she may stay for approximately one week -- including November 20 particularly.

Sincerely,

Kerry Kennedy Cuomo

Kerry Kennedy Cuomo

cc: Ambassador Hyun Hong-Choo
    Ambassador Donald P. Gregg

0017

공　　　란

공   란

공 란

공   란

공   란

공　　　　란

공 란

발 신 전 보

WUS-4932   911030 1305 DQ

번   호 : _____   종별 : _____

수   신 : 주   미   대사. 총영사

발   신 : 장   관 (미일)

제   목 : 인권단체 서한

대 : USW - 5082

1. 표제 관련, 서울지검이 10.28. 인재근에 대해 89.2.27. 부쉬 대통령 방한 반대 불법시위에 따른 집시법 위반혐의 불구속 입건상태를 불기소 처분 결정을 내려 동인의 출국 장애요소가 제거되었음.

2. 이에따라, 관계부처는 6공화국 출범이후 착실히 진전된 민주화와 동인에 대한 검찰의 불기소 처분조치등을 감안, 금번 동인의 출국을 전향적으로 허용토록 결정하였으며, 이에따라 본부는 동인이 여급 발급 신청시 구비서류등 하자가 없을 경우 여권을 발급할 예정임.

3. 이러한 대호관련 정부입장을 귀직 명의 서한으로 로버트 케네디 추모회 측에 공식통보하고 결과보고 바라며, 금년도 인권상 시상식 관련 상세사항도 아울러 파악 보고 바람.   끝.

(미주국장   반기문)

영사교민국장 : 17

보 안 통 제

앙고재	91년 10월 30일 복이 1 과	기안자 성명	과 장	심의관	국 장 전결	차 관	장 관	외신과통제

0025

공   란

관리
번호 91-2206

원 본

외   무   부

종 별 :

번 호 : USW-5363

일 시 : 91 1031 1650

수 신 : 장 관(미일)

발 신 : 주 미국 대사

제 목 : 인권문제 서한

대: WUS-4932

1. 대호내용 로버트 캐네디 추모회측에 서한으로 공식 통보하였음.

2. 금년도 동 추모회 인권상 시상식 관련 내용은 아래와 같음.

일시: 91.11.20 10:30 A.M.

PEKGA: GEORGE WASHINGTON 대학 (GASTON HALL)

수상자: AVIGDOR FELDMAN (이스라엘, 변호사)

RAJI SOURANI (팔레스타인, 변호사)

수상동기: GAZA 점령지역내 팔레스틴의 인권보호 및 비폭력운동에 공헌

참석인원: 일반공개

(대사 현홍주 - 국장)

예고:91. 12. 31 까지

미주국

PAGE 1

91.11.01 08:32

0027

공   란

제목찾기 하기전에 제목할입 먼저하자

주 보 스 톤 총 영 사 관

보스톤 (정): 01600-0745   1991. 10. 29.

수신 : 장관

참조 : 미주국장

제목 : AI 관계인사 탄원

　

　　당지 국제 사면위 관련인사 J.R. MURNO씨는 임수경 석방 탄원서를

본직에 보내왔기에 본직은 임수경이 실정법 위반으로 정당한 재판절차에 의하여

형을 언도받은 사실을 내용으로 하는 회답을 보냈는 바, 관련서류를 별첨송부합니다.

　

첨부 : 1. MURNO씨의 탄원서 사본.

　　　　2. 본직의 회신서한 사본.   끝.

주 보 스 톤 총 영

62298   0029

정명n
해당 각성
회람

382 Commonwealth Avenue
Suite 52
Boston, MA   02215

October 1, 1991

Mr Sang-seek Park, Consul
Consulate of Korea
One Financial Center
Boston, MA   02111

Dear Sir,

I am writing to express my great concern regarding Im
Su-kyong. The 23-year-old French literature student is
serving a five-year prison sentence on account of her
peaceful activities to promote reunification of the Korean
peninsula.

Im Su-kyong had travelled to North Korea to attend the
13th World Festival of Youth and Students held in Pyongyang
in July 1989. She went to the festival as a representative
of Chondaehyop (National Council of Student Representatives),
and made a number of statements advocating the peaceful
reunification of the Korean peninusula. After the festival
Im Su-kyong took part in a "peace march" which she hoped
would take her across the length of the peninsula. She was
arrested on August 15, 1989, while returning to the Republic
of Korea at Panmunjom.

Amnesty International, the independent human rights
organization, believes that Im Su-kyong has been imprisoned
for the peaceful expression of her political views. I urge
that your government grant her immediate release.

Sincerely,

Jonathan R Murno
Jonathan R Murno

0030

CONSULATE GENERAL OF THE REPUBLIC OF KOREA

ONE FINANCIAL CENTRE, BOSTON, MA 02111

TEL. (617) 348-3660 • FAX. (617) 348-3670

October 21, 1991

Mr. Jonathan R. Murno
382 Commonwealth Avenue
Suite 52
Boston, MA 02215

Dear Mr. Murno:

In reference to the letter you wrote to me concerning the imprisonment of Ms. Im Su-kyong, I want to inform you that she has been sentenced to a five year term of imprisonment according to the laws and judicial procedures of the Republic of Korea.

The National Security Law before it was amended in May, 1991 included in its provisions that the following actions are punishable: praising or encouraging anti-state activities of the North, entering North Korea under instructions from the North, and communicating with or contacting the North Korean communists with the knowledge that such an act would be beneficial to their anti-South strategy.

Ms. Im Su-kyong visited North Korea as a representative of Chundaehyup without any authorization from the Government of the Republic of Korea. Furthermore, she supported North Korea's position concerning matters of reunification and the withdrawal of U.S. forces from the Republic of Korea, and North Korea's anti-South propaganda and agitation drive. She also contacted a North Korean agent on her way to Pyungyang. Thus, Ms. Im violated the National Security Law.

Although she may not be punishable under the revised National Security Law, the annex of the law stipulated that a person who has been sentenced under the old law shall not be affected nor judged by the new law. The relevant provisions of the new law are more specifically defined: acts of praising and encouraging anti-state activities of North Korea, acts of entering North Korea, and acts of communicating with and contacting North Korean communists. Such acts are punishable only when they are committed with

0031

한국 인권상황 관련 미국 동향, 1990-91. 전5권 (V.5 1991.10-12월) 225

the knowledge that they will endanger the national security and the basic free democratic political order of the Republic of Korea (May, 1991).

In order to reduce tensions and to facilitate the reunification, the Government of the Republic of Korea has advocated mutual exchanges between South and North Koreans. However, the Republic of Korea still maintains that contacts between private citizens and organizations on the two sides must be carried out with the authorization of each party's respective government authorities. For this purpose, the R.O.K has recently enacted the Law on South-North Exchanges and Cooperation (August 1, 1990).

For further information, I am enclosing a publication on "Political Prisoners" in Korea issued by the Ministry of Justice.

I appreciate your concern in regards to this matter.

Sincerely,

Sang-Seek Park
Consul General

0032

False Controversy
over "Political Prisoners" in Korea

by the Ministry of Justice

FALSE CLAIMS OF POLITICAL PERSECUTION

The expressions "political prisoners" and "prisoners of conscience" are neither academically well defined nor generally accepted legal terms. Amnesty International, a leading international human rights group, defines a political prisoner as a person who has violated laws because of political persuasions or motives. Accordingly, the group admits such a person should be subject to criminal justice. On the other hand, Amnesty International defines a prisoner of conscience as a person who has been jailed for political or religious beliefs or for racial or sexual reasons, even though he has not used or supported violence. The human rights group maintains such prisoners must be set free.

In Korea, however, some dissidents and activist groups use the words "political prisoners" and "prisoners of conscience" without clearly defining them and interchange them as they please. They seem to generally define those terms as meaning "persons who are unjustifiably detained for political reasons." This is too nebulous a concept to be academically or legally acceptable and is only a militant political slogan intended to emphasize their claim that such detainees or prisoners ought to be unconditionally released because they have been "unjustifiably" arrested.

In fact, alleged political prisoners or prisoners of conscience in Korea are all persons--North Korean undercover agents and others--who have committed grave violations of the laws of the Republic. To be more specific, as of October 1, 1991, 368 persons

1

were in prison after being convicted of violating public security laws. The figure broke down to 81 enemy espionage agents, 8 implicated in espionage, 12 who attempted or aided defections to the North, 112 violators of the National Security Law, 63 violators of the Act Prohibiting the Use of Firebombs, 66 who have obstructed the performance of official duties and 13 who have masterminded illegal labor disputes and the like. In other words, the alleged 368 "political prisoners" have violated the laws by inciting violent class revolution, by masterminding violent demonstrations or illegal strikes or by otherwise breaching public security.

Not a single citizen of the Republic has been punished for simply subscribing to a specific ideology or cherishing a particular political belief. It is true that those who were jailed for demanding democratization prior to the June 29 (1987) Declaration of Democratic Reforms were often referred to as "political prisoners" at that time. All those people, however, were granted sweeping amnesty, thus the controversy about "political prisoners" or "prisoners of conscience" should have ended. To repeat, there is no one in the Republic of Korea today who can be truly regarded as a political prisoner or prisoner of conscience and who ought to be set free.

DISSIDENTS' ARBITRARY STATISTICS

Domestic and foreign human rights groups have been releasing arbitrary statistics on persons who they allege have been detained or imprisoned for political reasons, without presenting objective grounds. Accordingly, such statistics differ widely depending on who is releasing such figures.

2

0034

For example, Mingahyop (the Association of Families of Detained Democrats) asserted on November 10, 1990, that there were 1,230 political prisoners in the country. On September 9, 1991, the same group put the number at 1,316. The Korean National Council of Churches claimed on May 24, 1991 that political prisoners totaled 1,419. On July 13, 1991, the KNCC put the figure at 1,630. On March 31, 1990, the former Party for Peace and Democracy asserted that there were 1,794 political prisoners.

On November 10, 1990, the Catholic Committee for Justice and Peace alleged that political prisoners numbered 1,794. On the other hand, Amnesty International claimed on July 9, 1991, that Korea had 150 prisoners of conscience. In its report dated October 1, 1991, the international group lowered the number to 30. However, the Asia Watch alleged on November 12, 1990, that there were more than 1,000 political prisoners in Korea. Thus, the alleged number of "political prisoners," "prisoners of conscience" or "persons jailed on charges of violating public security laws," as the same category of prisoners or detainees are variously called, ranges from a low of 30 to a high of more than 1,700.

The unreliability or inaccuracy of such statistical claims is quite evident. For example, an examination of the first 100 persons on the list of "political prisoners" released by the KNCC on May 24, 1991, disclosed that six persons were double-counted, 37 persons had been set free prior to the date of the KNCC release, and 17 persons could not be located. In other words, of the first 100 persons on the KNCC list, only 40 were actually in jail. Most reports by other groups do not name specific persons alleged to be political prisoners. In the few cases when specific persons were named, their charges were not mentioned. Thus, no objective grounds for categorizing them as political prisoners were presented. In that way, those human rights groups try to hide the fact that

3

0035

persons they call political prisoners or prisoners of conscience are in fact mostly those who have been found guilty of arson and other acts of violence or inciting a violent class revolution. By their reckoning, even phony journalists accused of blackmail, local residents charged with violent demonstrations to oppose the establishment of a toxic waste dump in their area, and students who have violently protested an increase in tuition fees are all eulogized as "fighters for democracy."

Those human rights groups totally repudiate the Government's law-enforcement efforts to cope with frequent violent demonstrations for non-political, as well as political motives. For example, during the first eight months of this year, there were a total of 4,623 demonstrations involving 1.93 million persons. At those demonstrations, there were 350,000 firebombs thrown (up 43 percent from the like period of last year), injuring 406 police officers. Railroads and roads were occupied by demonstrators on 413 occasions, while public facilities, mostly police boxes, were attacked on 154 occasions. Dissident groups completely ignore the need to preserve law and order in the face of such violent disturbances.

Dissident groups also deliberately ignore the fact that the rallies that they hold to advance their political goals invariably turn into illegal, usually violent, demonstrations. In that way, they try to buttress their false claim that they only intend to hold orderly rallies to peacefully express their views and ideas, even while disregarding the laws pertaining to such mass meetings.

In sum, assertions by various domestic and foreign human rights groups regarding what they term political prisoners and statistics presented by them to support their claims are all lacking in credibility and not substantiated by the facts.

4

0036

CONSULATE GENERAL OF THE REPUBLIC OF KOREA

ONE FINANCIAL CENTRE, BOSTON, MA 02111

TEL. (617) 348-3660 • FAX. (617) 348-3670

October 21, 1991

Mr. Jonathan R. Murno
382 Commonwealth Avenue
Suite 52
Boston, MA 02215

Dear Mr. Murno:

In reference to the letter you wrote to me concerning
the imprisonment of Ms. Im Su-kyong, I want to inform you
that she has been sentenced to a five year term of
imprisonment according to the laws and judicial procedures
of the Republic of Korea.

The National Security Law before it was amended in May,
1991 included in its provisions that the following actions
are punishable: praising or encouraging anti-state
activities of the North, entering North Korea under
instructions from the North, and communicating with or
contacting the North Korean communists with the knowledge
that such an act would be beneficial to their anti-South
strategy.

Ms. Im Su-kyong visited North Korea as a representative
of Chundaehyup without any authorization from the Government
of the Republic of Korea. Furthermore, she supported North
Korea's position concerning matters of reunification and the
withdrawal of U.S. forces from the Republic of Korea, and
North Korea's anti-South propaganda and agitation drive.
She also contacted a North Korean agent on her way to
Pyungyang. Thus, Ms. Im violated the National Security Law.

Although she may not be punishable under the revised
National Security Law, the annex of the law stipulated that
a person who has been sentenced under the old law shall not
be affected nor judged by the new law. The relevant
provisions of the new law are more specifically defined:
acts of praising and encouraging anti-state activities of
North Korea, acts of entering North Korea, and acts of
communicating with and contacting North Korean communists.
Such acts are punishable only when they are committed with

0037

the knowledge that they will endanger the national security
and the basic free democratic political order of the
Republic of Korea (May, 1991).

In order to reduce tensions and to facilitate the
reunification, the Government of the Republic of Korea has
advocated mutual exchanges between South and North Koreans.
However, the Republic of Korea still maintains that contacts
between private citizens and organizations on the two sides
must be carried out with the authorization of each party's
respective government authorities. For this purpose, the
R.O.K has recently enacted the Law on South-North Exchanges
and Cooperation (August 1, 1990).

For further information, I am enclosing a publication
on "Political Prisoners" in Korea issued by the Ministry of
Justice.

I appreciate your concern in regards to this matter.

Sincerely,

Sang-Seek Park
Consul General

0038

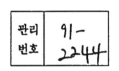

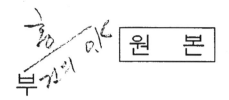

외　무　부

종　별 :

번　호 : USW-5433　　　　　　　　　　일　시 : 91 1105 1531

수　신 : 장 관(미일,경일,봉이,노동부)

발　신 : 주 미국 대사

제　목 : OPIC 년례 청문회

1. OPIC 은 년례 청문회 (ANNUAL PUBLIC HEARING)를 11.12(화) 14:00 OPIC 회의실에서 개최키로 하고 11.4 까지 동 청문회에서 문제를 제기코자 하는 이해 관계자들의 신청을 받았는 바, 아국의 노동권과 관련하여 국제 노동권 교육, 연구기금(INTERNATIONAL LABOR RIGHTS EDUCATION AND RESEARCH FUND, 전 북미 한국인권 연합 사무총장 PHARIS J. HARVEY 목사 운영)에서 신청을 하였음.

(단 1건 접수됨)

2. 당관에서는 동 단체의 성격상 공청회에 참가하여 직접 토론하는 경우에는 동 단체의 위상만 높여주는 결과를 초래할 우려가 있으므로 동 청문회에 참가, 동 단체와 직접 토론하기 보다는 OPIC 을 통해 청문회 관계자료를 입수하여 추후 당관에서 아국의 ILO 가입 이후 OPIC 에 정식으로 아국의 노동권 문제를 제기할 때 참고토록 함이 적절하다고 사료되는 바, 이에 대한 본부 의견 있으면 회보 바람.끝.

(대사 현홍주-국장)

예고:91.12.31 까지

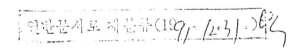

미주국　　차관　　2차보　　경제국　　통상국　　분석관　　청와대　　노동부

분류번호	보존기간

발 신 전 보

WUS-5077   911106 1753 DU

번 호 : _____   종별 : _____

수 신 : 주 미 대사. 총영사

발 신 : 장 관 (미일)

제 목 : 인재근 여권발급

연 : WUS - 4932

대 : USW - 5363

연호관련, 본부는 인재근(3843837)과 자 김병준(3839191), 녀 김병린 (3839205)에 대해 11.6. 일반 복수여권(유효기간 5년)을 발급하였음. 끝.

(미주국장 대리 김영식)

일반문서로 재분류(1991.12.31.)김

보 안 통 제	8.

앙 고 재	91년 11월 6일	기안자 성명	과 장	심의관 전결	국 장	차 관	장 관

외신과통제

0040

외 무 부

종 별 :

번 호 : USW-5478 　　　　　　　　일 시 : 91 1106 1912

수 신 : 장 관(미일,정총)사본:주 노르웨이대사 (직송필)

발 신 : 주 미대사

제 목 : 미 국무부 차관보 방한

　　1. 미 국무부 한국과는 현재 노르웨이 체재중인 SCHIFTER 국무차관보(인권담당)가 베이커장관을 수행하여 11.12-15간 방한 예정이라고 하면서, SCHIFTER 차관보에게오슬로에서 사증을 발급하여 줄수 있을지를 문의하여왔음.

　　2. 당관 의견으로서는 SCHIFTER 차관보의 국무부내 비중등을 감안할때 현지에서사증 발급편의를 제공하는 것이 좋을 것으로 판단되는 바, 적의 조치 희망함.(당지체류시 비자가 불필요하다고 하였으나 본인이 비자를 희망하고 있다 함)

　　3. 여권 기재사항은 하기와 같음.

　- 성명: RICHARD SCHIFTER

　- 여권번호: ███████

　- 생년월일: ███████ 끝.

　(대사 현홍주-주노르웨이대사)

미주국	장관	1차보	외정실	분석관	청와대	안기부

외 무 부

종 별 :

번 호 : NRW-0688　　　　　　　　　　　일 시 : 91 1107 1300

수 신 : 주 미 대사(사본:장 관(미일,정총))-중계필

발 신 : 주 노르웨이 대사

제 목 : 미국무부 차관보 방한

　　　대: USNR-1, USW-5478

　　　대호, SCHIFTER 국무차관보에게 11.7.사증발급하였음.끝

　　　(대사 김병연-주미대사)

미주국　　　외정실

PAGE 1　　　　　　　　　　　　　　　　　　　91.11.07　　23:08 FO

　　　　　　　　　　　　　　　　　　　　　외신 1과 통제관

　　　　　　　　　　　　　　　　　　　　　　0042

관리
번호 91-225)

분류번호	보존기간

발 신 전 보

WUS-5102 911107 1658 ED

번 호 : _____   종별 : _____

수 신 : 주   미   대사.총영사

발 신 : 장   관   (미일)

제 목 : OPIC 년례 청문회

대 : USW - 5433

　　　표제관련 대호 건의대로 대응바라며, 동 청문회 이해관계자로 신청한

국제노동권 교육연구기금(ILRERF) 개요에 관해 파악~~지급~~ 보고바람. 끝.

(미주국장대리   김영식)

일반문서로 재분류(1991.12.31.)

	보 안 통 제	✓

양고재	91년11월?일 북미1과	기안자성명		과장	심의관 전결	국장		차관	장관		외신과통제

0043

원 본

외 무 부

종 별 :

번 호 : USW-5504

일 시 : 91 1107 1730

수 신 : 장 관 (미일,정총)

발 신 : 주 미국 대사

제 목 : SCHIFTER 차관보 방한

연: USW-5478

1. 연호 SCHIFTER 차관보의 방한과 관련, 당관 안호영 서기관이 SCHIFTER 차관보 보좌관인 HILLEL WEINBERG 에게 탐문한바, SCHIFTER 차관보의 아시아 방문 목적은 11.15-17 로 예정된 BAKER 장관의 방중시 BAKER 장관을 수행하기 위한것이라 하며, 현재로서는 서울에서 별도 일정은 주선된바 없다고 함.

2. SCHIFTER 차관보는 현재 노르웨이 출장중인바, 11.11 또는 12 일에 별도 항공편으로 서울에 도착, BAKER 장관 일행과 합류하여 북경으로 출발하게 된다고함. 끝.

(대사 현홍주-국장)

예고: 91.12.31.까지

미주국	장관	1차보	외정실	분석관	청와대	안기부	

91.11.08   08:48
외신 2과 통제관 BS

0044

외 무 부

종 별 :

번 호 : USW-5534

일 시 : 91 1108 1555

수 신 : 장 관 (미일)

발 신 : 주 미 대사

제 목 : 임수경 현황 문의

　　SLADE GORTON 상원의원(공화, 워싱본)은 선거 구민의 요청에 따라 임수경의최근 상황에 관해 문의하여 왔는바, 관련사항 조속회시바람. 끝.

　　(대사 현홍주-국장)

　　예고: 91.12.31. 까지

미주국

기 안 용 지

분류기호 문서번호	미일 0160- 2786	(전화 : 720-2321)	시 행 상 특별취급	
보존기간	영구.준영구. 10. 5. 3. 1.	장 관		
수 신 처 보존기간				
시행일자	1991. 11. 11.			

보조기관	국 장	전 결	협조기관		문 서 통 제
	심의관				1991. 11 11 통제관
	과 장	.			
기안책임자		홍석규			발 송 인

경유 수신 참조	주미 대사	발신명의	

제 목   임수경 현황 송부

대 : USW - 5534

대호 임수경 관련 사항을 별첨 송부하오니 Gorton 상원의원실에

전달하고, 결과 보고 바랍니다.

첨 부 : 상기 자료 1부.   끝.

예 고 : 1991.12.31. 일반

0046

원 본

외 무 부

종 별 :

번 호 : USW-5576　　　　　　　　　　　일 시 : 91 1112 1733

수 신 : 장 관 (미일,경일,노동부,기정)

발 신 : 주 미국 대사

제 목 : OPIC 년례 청문회 동향

　　　연: USW-5433

　　　대: WUS-5102

　　1. OPIC 청문회가 11.14. 14:00-14:20 간 OPIC 소회의실에서 OPIC 부사장 JAMES D. BERG 주재하에 개최되었는바, 아국의 노동권 문제와 관련하여 국제노동권 교육, 연구기금의 사무총장 PHARIS HARVEY 가 증언함. 동 청문회에서 HARVEY 는 OPIC 이 한국에 대한 부자보증사업 잠정 중단 조치이후 한국은 노동법 개정이없었으며, 노동권 보호를 악화하는 노동관계법 개정 위협이 있으며, 노동운동 지도자에 대한 억압이 강화되고 있으므로 OPIC 의 사업중단 조치는 계속 되어야 한다고 발언함.

　　2. 또한 동 청문회에서는 아국의 노동권 문제이외에 AFL-CIO 는 중국의 노동권 문제를, UAW(자동차 노조)는 쿠웨이트의 노동권 문제를 증언없이 서류로 제기한바 있음. 관계 청문회 자료는 차기 정파편 송부 계획임.끝.

　　(대사 현홍주-국장)

　　예고: 91.12.31. 까지

미주국	차관	2차보	경제국	통상국	분석관	정와대	안기부	노동부

PAGE 1　　　　　　　　　　　　　　　　　　　　91.11.13　　08:19

외 무 부

종 별 :

번 호 : USW-5577 　　　　　　　　　일 시 : 91 1112 1733

수 신 : 장 관 (미일,경일,노동부)

발 신 : 주 미국 대사

제 목 : 국제노동권 교육연구 기금

　　　대: WUS-5102

　　　연: USW-5433

　　1. 국제노동권 교육연구기금(INTERNATIONAL LABOR RIGHTS EDUCATION AND RESEARCH FUND)은 1986 년 국제적으로 인정된 노동권에 대한 교육및 연구지원과 각국의 노동관계법에 국제적으로 인정된 노동권(결사의 자유, 단체교섭, 강제노동의 금지등)이 포함되어 있는지 여부를 조사하기 위한 목적으로 설립된 민간단체(워싱턴 소재)임.

　　2. 동 단체의 이사회(BOARD OF DIRECTORS)는 TOM HARKINS 상원의원, DON J.PEACE 하원의원(의회 국제노동권 소위 위원), OWEN BIEBER 자동차 노조(U.A.W) 위원장등 24 명으로 구성되어 있으며, PHARIS HARVEY 목사가 사무총장으로 있음.

　　HARVEY 목사는 북미주 한국 인권운동 연합 사무총장으로 있었으나, 6 공화국 출범이후 민주화와 함께 아국의 인권문제 제기가 미국내의 종교및 인권단체에서 크게 호응을 받지 못하게 되어 활동 기금 확보에 어려움을 겪게되자 노동권 문제로 전환하여 1990 년 부터 국제노동권 교육연구기금 명의로 활동을 하고 있음. 끝.

　　(공사 구본영-국장)

　　예고: 91.12.31. 까지

| 미주국 | 차관 | 2차보 | 경제국 | 통상국 | 분석관 | 청와대 | 노동부 |

91.11.13　　08:21

외신 2과 통제관 BS

0048

長官報告事項

報告畢

1991. 11. 13.
美 洲 局
北 美 1 課 (103)

題 目 : Schifter 美 國務部 人權次官補 訪韓時 別途 日程

1. 主要 別途 日程

   o 11.13(수) : 오유방 민자당 의원주최 오찬, 박광채 목사(KNCC 인권위원장)
                  면담, 김흥수 변호사협회 회장 및 운종수 인권위원장 면담

   o 11.14(목) : 김상남 노동부 노정국장 면담, 김대중 총재 면담

2. 訪韓 目的 :

   o 11.15(금) 방중 예정인 Baker 장관 수행을 위해 사전 방한

3. 措置 事項

   o 법무부(법무실장), 노동부(노정국장) 간부들의 동차관보와의 면담을 통해
      제 6공화국 출범이후 신장권 국내인권 상황에 대한 정확한 자료 제공토록함.

4. 言論 對策 : 당부 관련 사항 없음.   끝.

0049

┌──────────────────┐
│ 91. 11. 14(목)   │
│ 13:40-14:10   │
└──────────────────┘

美 洲 局

0050

1. 人的 事項

o 姓　　名 : Richard Schifter

o 出　　生 : 1923. 7. 31. 오스트리아 비엔나

o 職　　責 : 國務部 人權次官補

o 學　歷

1943	College of the City of N.Y.(B.S.)
1951	Yale University(LL.B.)

o 主要 經歷

1951-85	辯護士
1981-82	UN 人權委 美國 交替 代表
1983-86	UN 人權委 美國 代表
1984-85	UN 安保理 美國 副代表
1985-	國務部 人權次官補

0051

2. 訪韓 概要

(訪韓 目的)

o 91.11.15(금) 訪中 豫定인 Baker 長官 遂行을 위해 事前 訪韓

(滯韓 主要 日程)

<u>11.13(수)</u>

　　12:00　　　　오유방 民自黨 議員 招請 午餐(프라자 호텔)

　　15:00　　　　박광채 목사(KNCC 人權委員長) 面談(朝鮮호텔)

　　16:30　　　　김홍수 韓國辯護士協會 會長 및 윤종수 人權委員長
　　　　　　　　　面談(朝鮮호텔)

<u>11.14(목)</u>

　　10:00　　　　정성진 法務部 法務室長 面談

　　10:30　　　　김상남 勞動部 勞政局長 面談

　　12:00　　　　Burghardt 駐韓 공사 主催 午餐(官邸)

　　13:40　　　　반기문 美洲局長 面談

　　17:00　　　　김대중 民主黨 共同代表 面談

0052

3. 말씀 資料

가. 인사 말씀

o 노르웨이에서 訪韓한 것으로 아는데 유럽 訪問 目的은?

　　* 駐美 大使 주선으로 주노르웨이 韓國大使館에서 入國 査證 發給
　　　토록 措置

o 금번 訪韓은 11.15부터 Baker 長官 中國 訪問을 수행키 위한 것으로
　　알고 있음. 귀하의 訪韓을 歡迎함.

나. 한국내 인권상황의 전반적 개선

o 第 6共和國 출범이후 韓國內 人權狀況의 全般的 改善程度는 귀하가
　　피부로 느낄 수 있었을 것이며, 아직까지 美國內 또는 國際社會에서
　　問題가 되고 있는 事案들은 實定法을 違反한 犯法者들에 관한 事項임.

o 특히 지난해 韓國政府는 UN 人權規約에 加入하고 同所定節次에 따라
　　첫 報告書를 지난 7월 UN에 提出한 바 있음.

o 또한 지난 9월 南.北韓의 UN 同時加入 實現으로 ILO에도 加入키 위한
　　國內節次가 進行되고 있어 勞動權 관련 諸般 法規 정비도 착실히
　　進行되고 있음.

0053

다. 91년도 美 國務部 人權報告書 製作 現況 問議

o 每年初 發刊되는 國務部 人權報告書 發刊을 위한 資料 取合은
  끝나가는지?

o 지난달 國務部 韓國課를 통해 北韓 人權狀況 關聯 韓國側 保有 公開
  資料를 提供한 바 있으나, 우리側 保有資料도 풍부치 못해 積極 支援치
  못함을 아쉽게 생각함.

o 北韓社會의 開放誘導를 위해서 北韓 人權狀況에 대한 公開的 擧論도
  하나의 方法일 수 있을 것으로 생각함.

라. 印在謹 出國許容

o 每年 11.20. 로버트 케네디 追慕사업회 主管으로 實施되는 로버트
  케네디 人權償 施賞式에 印在謹의 參席을 許容해 달라는 同事業會
  要請이 있어, 韓國政府는 이를 肯定的으로 受容, 이달초 同人 및
  두 子女에게 旅券을 發給한 바 있음.

o 法務部에서도 전향적인 檢討를 거쳐 同人에 대한 集示法 違反 嫌疑를
  不起訴 處分하였음을 參考로 말씀드림.

마. 結 語

　　o 韓國內 人權狀況에 관한 問議事項이 있을경우 駐美 韓國 大使館을
　　　통해 要請하면 即刻 資料를 提供하겠음.

　　o 금번 訪韓이 귀하의 韓國에 대한 正確한 實像 把握을 위한 貴重한
　　　機會가 되기를 希望함.

　　o 中國 訪問도 有益하길 祈願함.　　　끝.

0055

원 본

외 무 부

종 별 :

번 호 : USW-5669   일 시 : 91 1118 1706

수 신 : 장 관 (미일,영재,기정) 사본: 주미대사

발 신 : 주 미국 대사대리

제 목 : 인재근 국무부 방문

연: USW-5263

케네디 인권상 시상식 참석차 당지를 방문중인 인재근은 금 11.18. 오후 12:00 JAMES BISHOP 국무부 인권국 수석부차관보를 면담하였는바, 당관 김홍균 서기관이 PATRICK HOTZE 인권국 동아시아 담당관과 면담, 탐문한 주요 내용을 아래와 같이 보고함.

1. 면담 성사 경위

- 당지 소재 재미교포 단체인 '한국인권연구소' (KOREAN INSTITUTE FOR HUMAN RIGHTS)가 GEORGE LISTER 국무부 인권국 선임고문(SENIOR ADVISOR)을 접촉, 인재근과 RICHARD SCHIFTER 차관보와의 면담 요청

- LISTER 고문은 평소 많은 국내외 인권단체와 접촉을 갖고 있는바, 상기 요청을 받아들여 내부 협의를 거친후 BISHOP 수석부차관보 면담 결정

2. 면담 내용

- 동 면담에 미측은 BISHOP 수석 부차관보외에 LISTER 고문, HOTZE 담당관, JERRY LENIER 한국과 담당관이 참석하였고, 인재근측은 한국인권연구소의 김희석, 이근팔이 배석하였으며, 약 한시간정도 진행되었다함.

- 인재근은 한국에 아직도 1,300 여명의 정치범(POLITICAL PRISONERS)이 있다고 주장하고 한국의 인권상황은 6 공화국 이후에도 전혀 호전되지 않았다고 하면서 미국정부가 5 공화국때와는 달리 한국내 인권상황에 대한 언급을 거의하지 않고 있는 것에 유감을 표시하였음.

- 이에대해 BISHOP 수석부차관보는 '정치범'의 정의에 대해 문의하면서 폭력적 방법에 의존하는 사람들이 이에 포함될수는 없다고 말하고, 미국정부는 6 공화국에 들어와 한국 인권상황에 상당한 개선이 있는 것으로 평가하고 있으며, 인재근 자신이

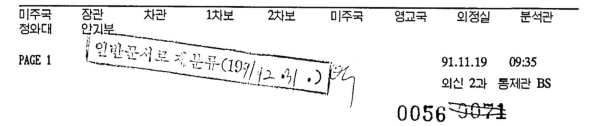

미국에 올수 있었던 것도 이를 입증하는 것이 아니냐고 반문하였음.

- 인재근이 한국내 폭력시위가 정부의 과도한 진압이 아직 어리고 미숙한 젊은이들을 자극하는데서 비롯되는 것이라고 하면서, 미국정부가 이들 정치범들을 석방하도록 한국정부에 힘써 줄것을 요청한데 대해, BISHOP 수석부차관보는 상기 시위대들이 처음부터 평화적 집회를 의도했다면 화염병과 같은 폭력수단이 왜 사전에 준비되어 있는지에 의문을 표시하고, 미국도 한국내 인권상황이 계속 개선되어 나가기를 강력히 희망하나 폭력시위로 구속된 사람들에 대해서는 어떤 노력도 하지 않을 것이라고 답변하였음.

- 인재근은 한국 정부가 내년선거를 의식하여 성탄절 이전에 상기 정치범들에 대한 특사를 해주길 희망한다고 하면서, 면담 말미에 BISHOP 수석차관보에게 준비해온 정치범 명단을 수교하였다 함.

3. HOTZEF 담당관 관찰

- 상기 면담에 배석했던 HOTZE 담당관은 면담 분위기가 시종 진지하였고, BISHOP 수석부차관보 및 자신이 개인적으로는 인재근의 나름대로의 성실한 인간상에 인상깊게 느낀것은 사실이나, 상기와 같이 한국내 인권상황에 대해 서론 다른 입장을 보인점등을 지적하면서, 동 인재근 면담이 미구정부의 대한국 인권관에 미칠 영향이 미미할 것이라는 평가를 보였음.끝.

(대사대리 김봉규-국장)

예고: 일반 91.12.31.

법   무   부

인권 2031- **16095**   503-7045   1991. 11. 14.

수신   외무부장관

참조   미주국장

제목   미대사관측의 국내 인권문제 질문에 대한 답변자료 송부

　　　1. 미대사관측으로부터 "'91년도 미국무부 인권보고서" 작성과 관련한
자료수집을 위해 우리부에 국내 인권문제에 관한 답변을 요청하여 왔습니다.

　　　2. 이와 관련 동 질문사항에 대한 답변자료를 작성, 별첨과 같이
송부하오니 동 대사관측에 전달될 수 있도록 적의 조치하여 주시기 바랍니다.

첨 부 : 질문사항 및 답변자료 각 1부. 끝.

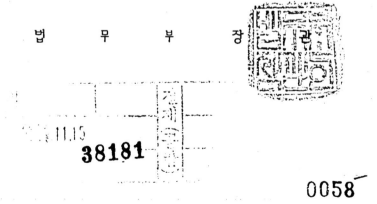

법　무　부　장

38181

0058

Questions

1. Does the ROK government have a definition of "political prisoner?" If so, what is the definition?

2. On National Foundation Day the Government released over 1,083 prisoners.

   a. How many prisoners received amnesty, had their sentences commuted, or were given parole?

   b. Were any National Security Law prisoners released?

   c. Asia Watch reported in December 1990 that 57 long-term prisoners were in jail for communist espionage or subversion. According to our count, 50 of these prisoners are still in jail. Is this correct? Were any of them released on National Foundation Day?

3. According to Amnesty International, "prisoners of conscience" are "people imprisoned solely because of their beliefs, sex, ethnic origin, language or religion and who have neither used nor advocated violence." In August, Amnesty International released its list of 29 people who it claimed were "prisoners of conscience." In each of the 29 cases, why does the ROKG believe that these people are not "prisoners of conscience?" (공안규보)

4. According to press reports this year, police entered a college campus to prevent the performance of the North Korean "socialist-realist" play called "Sea of Blood" or "Song of the Blood Sea." In September, the press reported that prosecutors and the Cultural Ministry wanted to prevent a performance of this play by the drama group "Shinsegeyro." What is the current status of this case? How many people have been arrested, and under what charges in connection with this play?

5. In April, police tried to prevent the showing of a student-made film "Mother, Your Son" on a number of college campuses. Did authorities arrest anyone involved with production or display of the film? If so, under what charges and what is the current status of the case?

6. In August 1990, a Seoul court ruled that the government had misused a portion of the labor union law when it refused to register the Federation of Media Workers' unions. Were there any judicial decisions involving the media federation this year? Is the federation now considered a legally-recognized labor federation?

0059

7. What is the current status of the prosecution's investigation into the death of SNU student Han Kyuk Won?

8. Choi Jae Ho, president of the Korean Federation of Financial and Clerical Workers, was arrested this year for violating the election law. What is the current status of his case?

9. On January 30, four policemen convicted of torturing Kim Kun Tae in 1985 were convicted, but set free pending their appeal. What is the status of this case?

10. Have any government officials, such as police or prosecutors, been convicted of torturing or abusing detainee or prisoners this year?

11. What are the facts in the following allegations of torture, mistreatment or abuse of the following people:

    a. According to a January 15 press report, a doctor at Sadang Hospital reported that Kim Rok Ho, arrested under the National Security Law in connection with the National Alliance for Democratic Reunification ("Chamintong" in korean), was the victim of beating over his entire body, as shown by subcutaneous bleeding.

    b. In January, human rights activists and dissidents alleged that authorities used torture against workers and Minjung Party organizers during questioning about the group "Sanomeng" (Socialist Workers Alliance) and the Minjung Party.

    c. In mid-March, Park Noh Hae, arrested under the National Security Law as the leader of Sanomeng, told his lawyer that he was limited to two hours of sleep per day for ten consecutive days.

    d. On April 10, news reports quoted lawyers as saying that four students arrested under the National Security Law for membership in the "anti-state" Group for the Promotion of the Fatherland's Unification, or "Chotong," told their lawyers they were the victims of sleep deprivation and/or beatings.

    e. In August, a striking construction worker arrested by police claimed that he was beaten for 30 minutes during questioning because his answers differed from his employer's version of events.

0060

f. There have been allegations by North Korea that a
"former North Korea former war correspondent Yi
In-Mo," now 75 years old, is being held against his
will in South Korea after being imprisoned for 34
years.

g. There have been allegations by North Korea that a
prisoner named Cho Chin-Yong died on October 9
following a beating in Chonju Prison.

인권문제 관련자료

- 주한미대사관측의 아국 인권문제 질문에 대한 답변자료 -

1991. 11

0062

[질문1] 한국 정부는 "정치범"의 개념을 가지고 있는가?

　　　　　있다면 그 정의는?

[답]

　o 우리 정부는 "정치범"이라는 용어를 사용하고 있지 않으며,
　　이에 관한 확립된 개념도 가지고 있지 않음
　　각종 범죄분석에 관한 통계작성시에는 실정법에 근거한 죄명별
　　로 분류하고 있을 뿐 "정치범"이라 하여 별도로 파악하고 있지
　　않음

　o 원래 "정치범"에 대한 개념은 학문상 확립되어 있지 아니할 뿐
　　아니라 법령상 용어도 아님

　o 다만, 국내 일부 인권단체 등에서 "정치범"이라는 용어를 "시국
　　사범", "양심범" 등과 같은 의미로 혼용하고 있으나, 명확한
　　개념정의 없이 정치 투쟁적 용어로 사용하고 있는 실정임

0063

[질문 2] 개천절의 "1,083명" 석방에 관하여

    a. 사면, 감형, 가석방 숫자는?

    b. 국가보안법위반자는 누가 석방되었는가?

    c. '90.12 아시아워치는 57명의 장기수가 간첩 및 국가전복 혐의로
       수용중에 있다고 발표하였는바, 우리는 50명이 아직까지 교도소에
       있다고 생각하는데, 이러한 숫자가 정확한지? 그들중 개천절에
       석방된 사람이 있는지?

[답]

  ㅇ 금년도 개천절에 교정시설에서 가석방한 인원은 1,083명이며,
     그중에 국가보안법위반 및 국가전복혐의로 수용중인 장기수는
     석방되지 않았음
     금년도에 미전향 장기좌익수중 질병 및 고령자 7명을 형집행정지로
     석방시켜 현재 수용중인 자는 50명보다 적은 숫자임
     (우리나라는 재소자 인원을 외부에 대하여 밝히지 않고 있음)

0064

[질문3] 금년 언론은 경찰이 "피바다" 또는 "피바다의 노래"라고
        불리우는 북한의 사회주의자-현실주의자 연극의 상연을
        금지하기 위해 대학에 들어갔다고 보도함
        9월에 언론은 검찰과 문화부가 "신세계로"라는 연극단에 의한
        상기 연극의 공연 금지를 원하고 있다고 보도함
        본건의 현재 상태는?
        동 연극과 관련하여 체포된 인원수와 혐의내용은?

[답]

  ○ 연극의 공연금지는 당국 소관사항이 아님

  ○ 신세계로 연극단의 공연은 아직 이루어지지 않은 것으로 알고
    있으며, 동건과 관련하여 체포된 사람은 없음

[질문4] 4월에 경찰은 많은 대학 캠퍼스에서 학생에 의해 만들어진
        "어머니, 당신의 아들"이라는 영화 상연을 금지하려고 노력하였음.
        당국은 본 영화 상연 및 제작과 관련하여 어떤 사람을 구속한
        사실이 있는가? 만약 그렇다면 본건의 현재 상태와 혐의내용은?

[답]

  ○ 영화 제작자인 이상인을 '91.7.5 영화법 위반으로 구속기소하였
    으며, 동인은 '91.9.3 서울형사지방법원에서 징역10월 집행유예
    2년을 선고받고 석방되었음

0065

o 동인의 범죄사실은 문화부에 등록을 하지 아니하고 영화제작을
  하였고, 공연윤리위원회의 심의를 받지아니하고 동 영화를 상영
  영화법 제4조 1항, 제12조 1항, 제32조 1호.5호를 위반한 것임

o 위 영화의 상영이 여러 대학에서 있었으나, 상영행위 자체로
  구속된 사람은 없음

o 불법집회나 화염병 투척행위로 구속된 사람은 있을 것이나,
  그것이 영화상영과 관련된 경우만을 별도 파악하고 있지는 아니함

[질문5] '90.8월에 서울지방법원은 언론노조연합의 등록거부는'노동
         조합법을 남용한 것이라고 판결했음
         금년에도 언론노조연합과 관련한 다른 사법적 결정 있었는가?
         현재 동연합은 합법적인 노동조합으로 인정되는가?

[답]

o 언론노조연합의 등록거부관련 행정소송은 '91.5.30 처음으로
  서울고등법원에서, 원고 전국언론노동조합연맹과 피고 노동부
  장관간의 노동조합설립신고반려처분취소청구사건에 대하여,
  노동조합설립신고서 등에 소속된 연합단체의 명칭을 기재토록
  한 노동조합법 제13조 1항 5호 및 제14조를 임의규정으로 해석
  하여 원고승소 판결을 선고하였으나, 동 규정을 강제규정으로
  보고 있는 피고측의 상고로 현재 대법원 재판 계류중임

                                                    0066

따라서 현재 동 연합은 합법적인 노동조합으로 인정되지 않고
있음

ㅇ 그후 현재까지 언론노조연합과 관련한 다른 사법적 결정은 내려
진 바 없음

[질문6] 서울대생 한국원의 사망에 대한 검찰의 현재 수사 상황은?

[답]

ㅇ 사건즉시 서울지검 강력부장을 반장으로 하는 전담수사반 편성,
현장확인 등 수사착수, 사체부검, 탄환 및 총기감정을 실시하고
관련경찰관, 목격자, 총기관련자 등을 상대로 사고당시의 상황,
총기사용경위 등에 대하여 광범위 조사, 국방과학연구소에 모의
상황 연출실험을 의뢰하였음

ㅇ 현재까지의 수사결과 당시 상황에 비추어 총기사용은 불가피한
것으로 보이므로, 향후 국방과학연구소의 탄도실험 결과를 정밀
분석하고 관련인을 재조사하여 총기사용시 제규정준수여부 및
과실유무를 밝혀 처리할 예정임

0067

[질문7]　전국사무금융노동조합 연맹위원장 최재호는 올해 선거법
　　　　위반으로 체포 되었음.　본건의 현재 상태는?

[답]

　ㅇ 최재호는 '91.8.12 지방의회의원선거법 위반으로 구속되어
　　　8.17 구속기소되었으며, 10.11 징역1년 집행유예 2년을 선고
　　　받고 석방되었음

[질문8]　'85 김근태 고문혐의로 기소된 4명의 경찰관은 금년 1.30
　　　　유죄판결을 받았으나 항소심이 계속중임에도 석방되었음.
　　　　본건의 현재 상태는?

[답]

　ㅇ 서울형사지방법원은 '91.1.30 김근태가 재정신청하여 불구속
　　　구공판되었던 경찰관 4명에 대해 유죄판결하였음
　　　. 판결내용
　　　　- 피고인 김수현 ('33.11.27생) ：징역5년 자격정지5년
　　　　-　　" 　김영두 ('38.4.6생)　：징역2년6월
　　　　-　　" 　최상남 ('47.11.3생)　：징역2년
　　　　-　　" 　박남온 ('35.12.12생) ：징역3년6월
　　　. 실형을 선고하면서 법정구속하지 아니함

　ㅇ 피고인들이 위 판결선고 즉시 항소하여 서울고등법원에서
　　　재판 계속중임

0068

[질문9] 금년에 피구금자 또는 재소자를 학대한 혐의로 유죄판결을
         받은 공무원이 있는가?

[답]

　ㅇ 금년도 현재까지 피구금자 또는 재소자 학대혐의로 유죄판결받은
    공무원은 안양소년원 상해치사사건과 관련된 최해란 등 3명으로
    이들은 1심에서 유죄판결을 받았으나 현재 항소심 계속중임

　ㅇ 기타 동혐의로 9건이 수사중에 있으나 이는 수사결과에 따라 혐의가
    드러나면 법에따라 처벌될 것임

[질문10] 다음 사람들의 고문, 학대 주장에 대한 사실여부

a. 1.15일 언론에 의하면 김록호(사당병원 의사)는 자민통과 관련
   하여 국가보안법에 따라 체포된 김요섭이 피하출혈에서 보여주는
   바와 같이 전신에 구타를 당했다고 함

[답]

　ㅇ 수사나 재판과정에서 동 주장이 인정된 사실이 없음

　ㅇ 의사 김록호가 진료하기 전에도, 동인이 안기부에서 고문을
    당하여 왼쪽 가슴과 양쪽 다리에 통증이 있다고 주장하므로
    수감중인 서울구치소의 의무과 의사 송시재, 홍대표, 양대식
    등이 '90.12.11-'91.1.11간 6회에 걸쳐 진료하였으나, 상해를
    입은 사실이 육안으로 확인되지 않았고, '90.12.19 흉부 X선
    촬영결과에 의하여도 이상이 발견되지 않았음

0069

o '91.1.14 구치소내에서 외부의사 김록호 (사당의원 원장)가
진료하여 좌흉부피하출혈 반흔, 양하지 피하결절의 진단서를
발급하였으나, 동 진단결과에 대하여 진료시 입회한 의사
송시재는 육안으로 식별이 곤란한 피하출혈반흔에 대하여 동의
할 수 없고, 양하지 피하결절은 촉지되기는 하였으나, 그 원인
및 시기는 단정지을 수 없다는 의견이므로, 안기부에서의 고문
주장을 뒷받침하는 증거로 삼을 수 없음

o 변호인 김한주는 '91.1.15 서울형사지방법원에 신체감정 증거
보전 신청을 하였다가, 지정감정기일(2.7) 직전인 2.5 동 신청을
취하하여 고문주장은 근거가 없음

b. 1월에 인권운동가와 반체제 인사들은 당국이 사노맹과 민중당에
관한 수사중 노동자와 민중당원들에 대해 고문을 가했다고 주장함

[답]

o 동 사건과 관련한 고문주장 사례 및 사실여부를 살펴보면,

. 현정덕 (사노맹 연락국장)
- 안기부에 연행된 후 약 10일간 묵비권을 행사하다가
- 그후 심경의 변화를 일으켜 차츰 범행을 자백하는 등 자연
스러운 상태에서 임의로 진술
- 법원에서는 제1,2심에 걸쳐 모두 동인의 고문주장을 배척

0070

. 장오영 (사노맹 조직원)

- 안기부 및 검찰의 수사과정에서도 가혹행위를 당하였다는
  주장을 전혀 하지 않았을 뿐만 아니라
- '90.10.26 구속적부심 재판시에는 변호인이 안기부에서
  가혹행위를 당하지 않았느냐고 질문하자, '그런 사실없다"고
  밝히는 등
- 고문 등 가혹행위를 당한 사실이 없다고 법정에서 스스로 진술

. 전인현 (사노맹 조직원)

- 검찰수사과정에서 자신의 범행이 정당하였다고 당당히 주장
  하였고, 가혹행위를 당하였다는 주장이 전혀 없었으며
- 공판과정에서도 공소사실을 전부 시인하면서 고문당한 바가
  없다고 진술
- 항소심에서는 동인이 안기부 수사과정상 고문을 당하였다고
  주장하고 있으나 이를 인정할 수 없다고 판시

. 김옥현 (사노맹 조직원)

- 안기부 수사도중 가족들과 면회시에도 '무리한 조사를 받고
  있지 않다'고 말하면서 가혹행위를 받았다는 주장을 한 바
  없으며
- 검찰수사 및 공판시에도 '고문이나 가혹행위를 당한 바 없다'
  고 진술

0071

· 정미화 (사노맹 조직원)

- 검사의 조사과정에서 안기부에서 고문,폭행,협박 등을 당한
  사실없이 임의로 조사받았다고 말한 바 있으며
- 안기부 수사이래 재판에 이르기까지 수회에 걸쳐 제출한
  반성문에서도 임의로 조사받은 사실을 계속 밝히면서,
  자성의 뜻을 표명하고 있음

· 이성수 (민중당 인천남동구지구당 사무장)

- 안기부 수사도중인 '90.10.16 변호인 및 모친 등과 면회
  하면서 고문 등 가혹행위를 당하였는지에 관하여 질문받자
  '고문받은 사실이 없고, 식사와 수면이 충분하다. 앞으로
  이런 잘못을 저지르지 않겠다'고 진술하는 등 전수사과정에
  걸쳐 가혹행위에 대한 주장이 전혀 없었으나
- '91.1.29 제1심 1회 공판시 모두 진술을 통해 '안기부에서
  가혹행위를 당하였다'고 비로소 주장하였는 바
- 법원에서는 제1,2심에 걸쳐 모두 동인의 고문주장을 배척

0072

c. 3월중에 사노맹중앙위원으로서 국가보안법에 의해 체포된 박노해는
   10일간 계속하여 매일 2시간씩의 취침만 허용됐다고 그의 변호사
   에게 말했음

[답]

   ㅇ 박노해(박기평)은 안기부 수사과정에서부터 건강상태가 양호
     하다고 계속 진술하고 있으며, 검찰수사과정에서도 안기부
     수사시 고문 등 가혹행위를 주장한 바 없음

   ㅇ 제1심 판결에서도 동인의 고문주장을 받아들이지 아니하고
     공소사실 전부를 유죄로 인정하여 무기징역의 중형을 선고

d. 4월 10일 뉴스는 조국통일의 촉진을 위한 "반정부"그룹 또는
   "조통"의 구성원의 혐의로 국가보안법에 의해 체포된 4명의
   학생들이 잠 안재우기, 구타를 당했다는 변호사들의 말을 인용
   보도함

[답]

   ㅇ 조통그룹사건 관련자들의 고문주장은 당사자나 가족, 변호인
     들의 일방적인 주장일 뿐이며, 현재까지 수사나 재판과정에서
     동 주장이 인정된 사실이 없음

0073

e. 8월에 경찰에 체포된 파업 건설근로자가 수사과정에서 그의
   진술이 고용주의 진술과 다르다는 이유로 30분동안 구타당했
   다고 주장했음

[답]

   o 조사를 담당했던 수원경찰서 형사계 사무실은 50명으로
     칸막이 사무실도 없으며, 조사관계자 및 면회자들이 수시로
     드나드는 공개된 장소로 조사하는데 가혹행위는 상식적으로
     할 수 없으며, 극구 부인하는 피의자들에게 끈질기게 추궁
     하고 대질하여 범행을 자신들이 자백한 사실이 있으며 조사
     하는 과정에서 동 사무실을 벗어난 일은 전혀 없음

f. 북한은 6.25 당시 종군기자인 이인모 (현재 75세)가 남한에 34년
   동안 구금된 후 그의 의사에 반해 억류중에 있다고 주장함

[답]

   o 동인에 대하여는 모든 형의 집행이 종료되어 '88.10.26.
     석방되었고, 피보안관찰자라 하여도 거소변경 등을 신고
     하는 외 여행이나 주거이동의 자유가 전부 보장되고 있음

   o 따라서, 이인모가 그의 의사에 반해 억류중이라는 북한의
     주장은 전혀 근거가 없는 것임

0074

8. 북한은 재소자 조준형이 전주교도소에서 구타후 10.9 사망했다고
   주장함

[답]

○ 전주교도소에 수용중 사망한 조준형(42세, 강간치상, 징역4년,
   4범, 형기종료일 '92.8.6)은 '91.9.25 지병인 고혈압으로 병동
   에 수용 치료중, 동년 10.7. 병세가 악화되어 즉시 전주예수
   병원으로 이송, 치료하다 익일인 10.8. 사망,
   동 병원에서 사체부검한 결과 타박상이나 외상 등이 전혀
   없다는 부검의사의 소견이 있었고, 조사결과 조준형을 구타한
   사실도 전혀 없었음에 비추어 동인의 사망은 신병으로 인한
   자연사임이 분명함

0075

RECEIVED FROM

배부처	법 무 부					대검	청와대	기 타 기 관
	⊘⊘⊘⊘⊘○					⊘○	⊘⊘	⊘⊘⊘○○○○
	장차법검 가					공	정보조사심의	재외공법
	무 찰 획					안	1	1
	실 국 실					부	행	기무보제
	관관장장상					장	조부부처처

정 보 보 고

1. 제 목   2. 출 처

<u>미국무부 인권담당차관보 당부예방 결과</u>   <u>인 권</u>

('91.11.19)

3. 내 용

○ 미국무부 인권담당차관보 Richard Schifter 가

  11. 14 10:00, 당부 법무실장을 예방하고

  아국의 인권상황 등 전반에 관하여 면담하였는 바,

  면담결과는 별첨과 같음

  첨 부 : 면담결과 1부. 끝.

0076

미국무부 인권담당차관보
법무실장예방 및 면담내용

1991. 11. 19.

법 무 부

0077

1. 개 요

o 일 시 : '91. 11. 14 (목) 10:00-10:40

o 장 소 : 법무실장실

o 면담자 : Richard Schifter (미국무부 인권담당차관보)

　　　　　　　Bruce Donahue (주한미대사관 1등서기관)

o 배석자 : 인 권 과 류 국 현 과장 (통역)

　　　　　　　　　　　정 기 용 검사 (기록)

0078

2. 대화요지

○ 실 장

바쁜 방한 일정에도 불구하고, 당부를 방문한 것을 환영한다.
먼저 한가지 양해를 구하고 싶은 것은 법무부장관께서 개인적
으로 귀하를 만나고 싶어 하셨고, 국회 오유방의원으로부터도
연락을 받으신 것으로 아는데, 오늘 오전에는 국무회의에,
오후에는 국회에 참석하셔야 하는 바쁜 일정 때문에 직접 면담
하지 못하는 것에 대해 섭섭한 감정을 전해 달라는 부탁을
받았다.

○ 차관보

바쁜 업무시간 중에도 이렇게 일정을 잡아서 대화 자리를
마련해 주신 것에 진심으로 감사를 드린다. 그리고 장관께서
특별히 본인에게 메시지를 남겨 주신 것에 감사를 드린다.

○ 실 장

평소 미국 정부나 귀하가 미국과 세계 각국의 인권상황에 깊은
관심을 가지고 인권상황 개선에 노력을 경주해 온 것에 대해
경의를 표한다.
비록 짧은 체류기간이지만, 한국을 많이 보고, 특히 아국의

0079

2

인권상황에 관해 객관적이고 폭넓은 시각을 갖는데 도움이 되는
자료를 많이 마련해 가는 기회가 되기를 바란다.
이번이 처음 방한인가

o 차관보

처음이다. 하지만, 체류기간이 짧아서 다음에 다시 방문할
기회를 가졌으면 하는 바램이다.
어제 국회 및 변호사협회 관계자들과 만나 양국가의 법률문제
들에 관해 서로의 의견을 교환하는 좋은 기회를 갖었는데,
기본적으로 한.미 양국이 좋은 관계를 맺고 있는 것으로 생각
한다.
본인이 미국무부 내에서 다루고 있는 업무가 인권관련 분야
인데, 1987년 이전에는 한국내 인권상황과 관련된 문제로 주한
미대사나 한국 야당국회의원들과 매우 잦은 접촉을 한 경험이
있다. 그런데, 1987년 이후부터 한국내 정치상황이 변화되면서
현대 산업사회에 걸맞는 민주화 과정이 계속 진행되고 있는
것을 잘 알고 있다.
본인이나 미국 정부는 남북이 휴전선을 사이에 두고 대치하고
있는 한반도의 긴장상황과 한국 안보의 중요성에 대해 충분한
이해를 하고 있으며, 특히 북한의 인권상황을 검토해(review)
볼 때, 매우 심각한 인권침해가 자행되고 있다는 것을 알고
있다.

0080

3

더 나아가서, 북한의 군사적인 사회구조와 무력침공 가능성,
또한 국제사회에 도전적인 접근방식 등을 감안해 볼 때, 한국의
안보에 심각한 위협이 되고 있음을 충분히 이해한다.

그런데, 최근 국제사회는 큰 변화를 겪으면서, 종전에 북한의
최대 우방국이었던 소련이나 중국 등으로부터 북한에 대한
지원이 격감하였고, 이에 따라 한반도의 주변상황도 크게 변화
하고 있는데, 특히 북한의 무력남침 위협성은 실질적으로 크게
감소하였다고 인식된다.

이러한 맥락하에서 볼 때, 앞서 언급한 한반도 주변상황의
변화가 한국으로 하여금 몇가지 인권관련 문제 등 법제도 전반
에 관해 재검토할 필요성을 갖게 하는데, 일례로, 법률제정 및
집행관련 분야를 현대화 한다든지, 법률의 추가개정 등을 통해
시대변천에 적합하도록 해야할 시기가 아닌가 본다.

또한, 동시에 한국이 UN 정식회원국으로서 국제사회에 적극 참여
할 수 있게 됨에 따라 한국의 법제도도 그 시야를 넓혀서 세계적
차원에서 비교하여 연구검토가 병행되야 할 필요성에 대해서도
지적하고 싶다.

이와 같은 것을 전제로 몇가지 제안을 하면, 특정한 사건
(case)이나 구체적인 쟁점(issue)에 관해서 보다는 법의 일반
원칙과 개괄적인 법제도문제 및 전반적인 인권상황과 관련해서
살펴볼 때, 미국이 지난 200여년동안 이룩해 온 민주주의 제도
와 그 이해갈등의 역사속에서 발생되는 수많은 문제를 해결하면
서 들인 노력과 얻은 값진 경험이 한국의 법률체계나 법집행

4   0081

과정에서도 많은 도움이 될 수 있다고 본다.

예컨대 현재 한국은 노봉관련 문제로 인해 정부와 노조 및 사용자간에 긴장관계가 형성되어 있는 것으로 알고 있는데, 앞으로 산업화가 더 진행될수록 각종 노사관련 문제들이 점점 더 중요성을 가지게 될 것이다.

미국의 역사에서 보면, 지금부터 약 50년전부터 심각한 노동쟁의 문제가 발생하여 오다가 그후 30년이 경과하면서 분규가 상대적으로 많이 감소하였는데, 그 과정중에 중재을 통한 많은 우호적인 협상 경험을 가지게 되었다. 이러한 수많은 문제해결 경험을 바탕으로 노봉분야에 있어서 포괄적이고도 가장 효율적인 법률체계를 마련하는데 성공하였다.

이와 같은 수십년간의 분쟁해결 경험을 서로 나눈다면 매우 가치있는 일이라 할 것이다.

다른 예로, 법원과 재판제도에 관해 잠깐 언급하면, 미국 법관의 역할 특히, 증거관계법 및 소송절차관계법에 관한 것들이 주요한 논의 대상이 될 수 있다고 생각한다.

이와 같은 분야에 관해 상호협조를 위해서는 한.미 양국이 같은 직종에 근무하는 법률전문가들이 서로 적극적인 접촉과 교류을 통해서 이해를 증대시키는 것이 필요하다고 생각한다.

0082

5

○ 실 장

좋은 말씀이라 생각한다. 지금까지 구체적이고도 개별적인
관심사에 대하여는 양국 실무자들이 보의를 계속 가져온 것으
로 알고 있다.

귀하가 언급한 내용중, 상호 법률전문가의 지속적이고도 폭넓은
접촉문제에 관해서는 장관께 보고 드리고 연구하여 보겠다.
다만, 말씀하신 내용과 관련하여 유의할 점 한 두가지에 관해
언급하고 싶다.

인간사회에 일반적으로 통용될 수 있는 보편적이고도 공통적인
법원칙이 존재하는 것은 사실이다. 그러나, 법률을 제정하고
운용함에 있어서는 각국마다 특수한 사회적,문화적 배경이 구체
적인 법률체계 및 그 집행에 영향을 미치고 있음을 명백히 하고
싶다.

일례를 들면, 인터폴 통계자료를 보면, 미국에서는 강도, 마약
범죄가 많이 발생하는데 비해, 한국의 경우는 강도가 미국의
4%, 마약이 3%이하인 반면, 한국에서는 화염병사용범죄나 공무
집행방해범죄가 미국에 비해서는 훨씬 높은 것으로 나타났다.
다른 예로는, 교원노조문제를 들수 있는데, 서구에서는 교원을
일종의 노동자로서 보고 노동운동을 용납할지 몰라도, 유교사상
에 바탕을 두고 있는 한국에서는 교원을 부모와 같은 위치의
존경의 대상으로 인정해 왔지, 쟁의를 하는 노동자로 생각하지
는 아니하였으므로, 대다수의 국민이 심정적으로 노동쟁의를

0083

6

전제로 하는 노동조합결성률 받아 들이지 않고 있다.

이와 같이, 표면에 나타난 사회현상이나 그 규제법률의 차이에
관해 보다 세밀히 살펴보면, 근저에는 항상 국민의 문화적.
정신적 배경의 차이가 존재하고, 따라서 국가간의 구체적인
법률체계나 집행에 관한 올바른 비교, 분석을 위해서는 우선
적으로 문화적.정신적 배경에 관한 이해가 선행되어야 함을
지적하고자 한다.

다른 하나에 대해 간단하게 언급하면, 귀하의 지적과 같이
세계 및 한반도 주변상황이 최근들어 급변하고 있는데,
앞으로도, 우리 정부는 국제사회의 책임있는 임원으로서 한반도
주변상황과 국제정세의 변화에 발맞추어 성실한 변화 노력을
경주해 나갈 것이다.

귀국 정부도 이러한 우리의 노력에 대해 계속적인 관심과 지지를
보내주었으면 한다.

○ 차관보

성실한 답변에 감사한다.
귀하가 앞서 말씀한 바와 같이 각 국가마다 가지고 있는 독특한
사회적.문화적 배경은 그 국가의 법제도 및 법률체계나 그 적용에
있어서 매우 중요한 것이다.
동시에, 오늘날 세계는 소위 "지구촌"이라고 불리워질 만큼 좁아
지고 가까워지고 있는 것이 현실이다.

0084

RECEIVED FROM   1991.11.19 14:49   P.10

말하자면, 세계 각국간에 공통되는 기초적인 사회영역들, 즉
민주주의의 원칙에 입각한 각종 정치.사회제도, 자본주의 경제
등이 규모가 커지고 다양화되고 있는데, 이러한 근본적 사회구조
와 관련된 문제들에 대해서는 가장 효율적이고 민주화된 대응
구조(counter structure)를 마련하는 일이 중요하다고 생각한다.
이미, 경제.기계기술공학분야 등에서는 전문가들간의 접촉과
교류가 활발하게 이루어지고 있는 것으로 알고 있는데, 이에
비해서 법률분야의 교류가 더욱 확대될 필요가 있다고 본다.

○ 실 장

한.미 양국의 법률전문가들이 보다 더 많은 접촉 기회를 갖을
필요성에 대해서는 충분히 공감한다.
이를 효율적인 수행 위해서 실무차원의 연구가 필요할 것 같다.
앞으로 양국의 법제도 및 그 운용 등 상호관심사에 대해 보다
폭넓은 대화를 나눌 수 있는 기회가 있었으면 하는 바램이다.
바쁜 일정중에 이렇게 법무부를 방문해 준 것에 대해 장관을
대신해서 다시 감사드린다. <선물 (분진 및 찻잔) 증정>

○ 차관보

따뜻하게 환대해 준 것에 감사드린다.

0085

8

주 미 대 사 관

미국(노)913-2460   1991. 11. 14.

수신 : 장관(미일)

참조 : 노동부장관(직업안정국장)

제목 : OPIC년례 청문회 자료

연 : USW-5576

91. 11. 12. 개최된 OPIC 년례 청문회에 국제노동권 교육 연구
기금(ILRERF)에서 제출한 아국의 노동권 관련 자료 및 미국 노총
(AFL-CIO   ) 과 자동차 노련(UAW)에서 제출한 중국 및 쿠웨이트의
노동권 관련 자료를 별첨과 같이 송부합니다.

첨부 : 1. Labor Rights in Korea 1 부
        2. Forced Labor in China 1부
        3. Workers' Right in Kuwait 1부 끝.

주   미   대

65919

Labor Rights in Korea

Prepared Statement

by

Pharis J. Harvey

Executive Director

International Labor Rights Education and Research Fund

before the

Board of Directors

Overseas Private Investment Corporation

November 12, 1991

My name is Pharis Harvey. I am the Executive Director of the International Labor Rights Education and Research Fund (ILRERF), based in Washington, D.C. The Fund was created in 1986 to provide research and education regarding compliance with internationally recognized rights of workers by countries around the world, and to monitor compliance with laws which make it mandatory for countries to be taking steps to afford workers these internationally-recognized rights in order to qualify for trade and investment benefits from the United States.

On behalf of the ILRERF I want to thank you for the opportunity to provide testimony today about the Republic of Korea (ROK). The decision by OPIC earlier this year to suspend the Republic of Korea from the program, sustained in the face of strong pressures within the Administration, was welcomed by all persons who believe in the integrity of the law and the feasibility of its enforcement. That decision was based on material dating as late as the spring of this year, including testimony prepared by ILRERF in November last year.

I. Summary of Findings.

My purpose in appearing before you today is to review developments in South Korea since the late spring, and particularly since the OPIC decision was first made, to assist you in determining whether sufficient progress has been achieved in respecting worker rights by the ROK government to warrant a reversal of that decision. It is our conclusion that no progress has been made whatsover.

As reported, the OPIC decision to suspend further programming in Korea was based primarily on four factors:

0088

1) the veto by President Roh of labor law reforms passed by the National Assembly of Korea in 1989;

2) a number of restrictive regulations passed in 1989 "that reduced the scope previously accorded to freedom of association, organization and collective bargaining, placing new limitations on the right to strike, and restricted collective bargaining on Export Processing Zones;"

3) the fact that "the government [has] enforced existing and new restrictions by arresting and imprisoning leaders of independent labor unions and organizers of sympathy strikes on questionable legal grounds"; and

4) the continuation of inadequate enforcement of health and safety measures.

The report also took note of the fact that the ROK is not a member of the International Labor Organization, but that it is actively applying to join this organization, membership in which implies certain obligations with respect to worker rights, including the signing of the Constitution of the ILO.

The decision by OPIC to suspend the ROK from its program has awakened a vigorous debate inside Korea, but unfortunately, it has not yet evoked significant reform by the government. In fact, the situation faced by workers attempting to exercise their rights has, if anything, become worse.

Immediately after the initial OPIC decision was made in May, but before it was announced publicly in the United States, the ROK government released statements to the press indicating that "the Labor Union Law, the Law on Labor Dispute Mediation and related laws

2

0089

would be reviewed by officials." It is not known whether these statements were made in response to the OPIC decision, or to an ICFTU report issued about the same time listing Korea as one of the ten most repressive governments in the world toward workers, or whether it was in preparation for the government's bid to enter the ILO later this year. Government sources were quoted in the press stating: "In the case of ILO, it is natural for us to revise our laws when they clash with ILO regulations."[1]

However, subsequent to this press announcement, the government's harsh treatment of workers worsened sharply and its will to reform withered away. In the month of June, 1991 the ROK government arrested more labor leaders than in any month since the Roh presidency began in 1988. 143 workers were imprisoned on various charges for their labor union activities. This high rate of arrests continued in July, when 95 were arrested. Full data is not yet available for more recent months, but anecdotal evidence suggests that the crackdown continues. The total number of trade unionists imprisoned by the Roh government from February, 1988 through July 31, 1991, for involvement in labor union activities was 1,539. Our most recent information indicates that as of the end of September, 1991, 463 of these trade unionists were still in prison. As far as we are aware, this number is probably higher than any other country in the world except China.

By August, government sources were claiming that ILO membership itself carries no automatic requirement for amending laws to bring them into conformity with the ILO constitution, and in particular, these sources noted that the United States is not a signatory to the

---

[1]Korea Herald, Saturday, June 1, 1991.

0090

3

basic human rights conventions of ILO, particularly Convention 87 on Freedom of Association and Convention 98 on Collective Bargaining. The ROK government has therefore indicated its intention to join the ILO sometime later this year, but *without* ratifying Convention 87 and other human rights conventions or bringing Korean law into conformity with them.

Some labor law revisions were proposed by the government in mid-September, but have not been enacted in the National Assembly, apparently because of the strong negative reaction they evoked from the labor movement. These revisions, though described as reforms, contained elements that significantly *weaken* protection of labor rights, along with a few improvements. As a result, rather than being welcomed by the labor movement, these proposed amendments have triggered a large-scale protest by trade unions and other labor organizations, including a hunger strike by the president of the usually-complacent Federation of Korean Trade Unions.

At the same time, unionists have uncovered sizeable evidence of ongoing government interference in and surveillance of labor union activities in clear violation of the freedom of association, incidents of violence against trade union leaders by government authorities and the arrest of labor leaders continue unabated.

The overall situation since the OPIC decision was announced, then, can be easily summarized as: 1) no labor law reform, 2) the threat of labor law revision that worsens labor rights protection in some areas, 3) intensified repression of labor movement leaders. It is clearly premature to even consider reinstating South Korea into the OPIC program.

The pages that follow will examine these issues in some detail.

II. The lack of Labor Law Reform

0091

4

A. The 1989 Failed Labor Law Reform.

It may be useful to recall in some detail the reform measures that were adopted in 1989 by the National Assembly of Korea, leading to approval by OPIC for continuing involvement in the program, and then subsequently vetoed by President Roh Tae Woo in April, 1989. This provides a guide not only to the nature of labor law as it exists, but to the kind of changes which a majority of legislators, including the government party, believed in 1989 were feasible.

1) Amendments to the Labor Union Act

a. *Public officials below the sixth rank were given the right to organize and to bargain collectively.* (Current labor law forbids all public officials from organizing or engaging in collective bargaining.)

b. *A labor union would be recorded as founded upon the filing of an application.* (Under current law, local labor officials have frequently delayed the recognition of unions by not acknowledging their applications, while informing company officials who organize a company-dominated union, which is given recognition, causing the workers' initiative to be subsequently rejected "because another union already exists." Art. 3 of the Labor Union Act forbids establishment of a labor union "when the purpose of the organization is to hamper the ordinary operation of an already existing labor union.")

c. *Art. 12-2 of the Labor Union Act, prohibiting intervention by a "third party" in the formation of a labor union or in collective bargaining was amended to exclude lawyers, public officials, or others recognized by the labor committee from the prohibition.* (Current law states that "no person except for employees who have a direct employment relationship with the employer, the

5

0092

labor union concerned, or other persons duly authorized by laws or regulations shall manipulate, instigate, obstruct or intervene with the intent to influence the concerned parties in the establishment or dissolution of a labor union, joining or leaving a labor union, or in collective bargaining with the employer." This was changed by regulatory decree to allow union officials from FKTU to be involved with local unions, but this restriction has been used frequently to bar any contact with workers by anyone outside the workforce, and even to arrest fired workers who seek to negotiate with the company over the terms of their dismissal.)

d. *A notice of receipt of application to form a labor union was to be given by the relevant office to the applicants immediately upon receipt of application.* (This was also for the purpose of correcting administrative abuse referred to in item b.)

e. *A general meeting of each labor union was required at least once a year.*

(This was to prevent the abuse of company unions which existed only on paper.[2] Current law requires a general meeting every two years, but has not been enforced.)

f. *Qualification for election as union officer was allowed to be determined by the labor union itself.* (This attempted to amend art. 23(2), which determines that no one can serve as a union officer who has been sentenced to imprisonment within two years after the completion of the sentence, or who has been an officer of a labor union ordered dissolved by authorities within three years, or who has been employed for less than one year in the business or work place concerned. This provision, in conjunction with the high rate of imprisonment for labor union

---

[2]A Ministry of Labor study released in October, 1991 showed that about 1,500 unions, nearly 20 percent of the total number of unions in Korea, were bogus, having never functioned as an active organ by holding general meetings, electing representatives, collecting membership dues, etc.

6

0093

officers on various charges, has been responsible for depriving the democratic labor movement of much of its leadership since 1989, and is in sharp violation of ILO standards for freedom of association.)

g. *The right of union members to call general meetings or executive council meetings of unions in the event that the elected officials failed to call the meeting was clarified.* (This item, like e. above, attempted to correct the abuse of officership by elected officials or the failure of leaders to allow membership to act.)

h. *The length of collective agreements was shortened from two years to one year.*

i. *Article 12, prohibiting political activities by labor unions, was deleted.*

j. *Article 30, allowing public officials to inspect labor union records or documents at will, was deleted.* (This article continues to be a means for harassing democratic labor unions, by the confiscating of all their records, including membership lists, etc., which are apparently turned over to intelligence officials and used to exert pressure on union members and their families. These tactics persist.)

k. *The stipulation of a right of government officials to void collective bargaining agreements was changed from "if they are illegal or unjustifiable" to "if they are illegal."*

2) Amendments to the Labor Dispute Settlement Act

a. *Article 12, restricting the right to strike of employees in state, local governments, government-run corporations, and defense industries, was amended to refer only to employees of national and local governments.* The right of defense industry workers to engage in disputes was amended to be parallel to the right of public service bodies' employees, (i.e. strikes were not totally

7 0094

banned but made subject to immediate "adjustment" (arbitration?) by the relevant labor committee.)

b. *Art. 13.2, restricting "third party" intervention in labor disputes, was amended to parallel the limitations imposed on labor union organizing.* (item c. above.)

c. *Art. 17 was amended to require a five day notice before an employer could carry out a lock-out of striking employees.*

Even if these amendments to labor law in Korea had not been vetoed, they would have left many provisions intact which violate the basic rights of freedom of association or of collective bargaining. The most significant of these additional restrictions are: 1) the prohibition against multiple labor federations, which has been used to declare illegal all federations except the Federation of Korean Trade Unions and its affiliated sectoral federations, and to prosecute leaders of the alternate Korean Trade Union Congress (Chonnohyop) for "third party intervention"; 2) continuing restrictions against "third party intervention" that bar civic organizations, family members of striking workers or trade unionists from outside the plant in dispute from any solidarity actions in a labor dispute; 3) the requirements for a 30-day "cooling off" period between the breakdown of negotiations and the commencement of an "act of dispute", i.e. a strike, which has frequently been used as a period for companies to fire labor activists and union leaders with impunity.

Finally, there continues to be a contradiction within the Labor Union Law between art. 33, which gives authority to negotiate a collective agreement to the representative of a labor union, and art. 19, which indicates that collective bargaining agreements require resolutions by the general meeting of the union. This contradiction has recently been the subject of a court

8   0095

decision in Seoul, which upheld the right of a labor union representative to sign an agreement on behalf of the union *without* a vote of the membership on the terms of the agreement.[3] The question of the authority of a representative has been a matter of intense controversy for years. It has been common practice for companies to take extreme measures, including threats, harassment, bribery and other enticements, to get labor representatives to agree to contract terms that were outside the parameters established by the union in advance. This has led to frequent repudiations of contracts, wildcat strikes and quick turnover of labor representatives.

B. Proposed Labor Law Changes of 1991.

From June this year, the ROK Government has hinted in the press of impending legal reforms, ostensibly to bring the nation's laws into compliance with the basic human rights standards of the ILO. One would naturally conclude that such a reform would at a minimum revisit the reforms already passed by the National Assembly in 1989. However, such was not the case. As mentioned earlier, the debate within the government about the requirements of ILO membership resulted in a later decision **not** to amend laws in advance of joining, and an apparent decision **not** to ratify the ILO's basic conventions on freedom of association or collective bargaining rights.

Instead, on September 17 the government announced its intention to reform labor law in several ways, including the following positive steps:

1) repeal of the prohibition against political participation by labor unions.

2) repeal of the legal limit of 2% of wages to be collected as union dues.

---

[3]Korea Times, September 19, 1991.

9

0096

3) repeal of the stipulation that labor disputes could only be conducted at "the pertinent work place." It was announced that these changes would be submitted to the National Assembly for approval before the current session ends December 18.[4]

These could be significant reforms, *if* other conditions were also changed. However, unless union pluralism is allowed, legal political participation could be limited to the one trade union federation that is most dependent on the government for its budget and support, the FKTU,[5] while the independent, non-government supported unions and federations would continue to be barred from supporting or seeking support from political parties. This could have a seriously deleterious effect not only on the trade union movement, but on the democratic process in Korea.

The same reservation must be expressed about the increase in the legal limit of union dues. Unions that are not recognized by the government as legal entities will continue to find it difficult to gather dues through wage deductions. Without reform in procedures and limits for union formation, and the legalization of plural unions, the change in dues gathering procedures will affect only one segment of the labor union movement. This exacerbates a deformation of the overall trade union movement, leaving one portion funded sufficiently to carry out its activities, while the others are without resources.

The third change, allowing strike activity outside the work place as well as inside it,

---

[4]Korea Times, Sept. 19, 1991.

[5]According to reliable reports, FKTU depends on government subsidies of $10 million annually for its central budget, due to declines in its paid up membership since the 1987 democratic labor movement began to draw members away to other federations and non-affiliated unions.

could be a genuine improvement for all concerned, since the present limitation has tended to lead to plant takeovers by workers who could not carry out their picketing activities outside a plant without being arrested. However, unless other changes are made in the handling of labor disputes, few workers on strike will be inclined to conduct strikes outside plants at the cost of being replaced by scab labor inside the plants in addition to the increased exposure to police and "paekkoldan"[6] violence on the streets.

In addition to these potentially positive changes, the government includes some very negative ones, including revising work hour limitations *upward*, to allow longer hours before paying overtime, shifting to an alternate-Saturday-off system, and moving toward an annual wage system to replace weekly, daily or monthly wage scales. While details of these provisions are not clear, they are seen by the labor movement in Korea as eroding rights already won and endangering wage levels and overtime pay, which for most workers is an essential part of income to meet basic costs. As on Seoul daily commented in late October, "The labor law amendment that the government is actually developing is not in the interest of workers.but will benefit the 'haves' in direct contradiction to the ILO conventions. Such an amendment of labor law cannot be an object of bargaining. A strong conflict between the government and the labor world is expected."[7]

None of these reforms, however, either those attempted in 1989 or discussed in

---

[6]"Paekkoldan" -- meaning 'White Skull brigade' is the popular name for the units of martial arts-trained riot police who wear civilian clothes and white motorcycle helmets as they tear into crowds of workers or political protesters to break them up with extreme violence.

[7]*Hankyorae Shinmun*, October 25, 1991.

0098

11

1991, have been put into practice, which means that Korean Labor Law remains as restrictive of internationally-recognized worker rights today as it was under the dictatorship of Roh's predecessor, Chun Doo Hwan. In addition, it should be noted that the government has taken no action to repeal the restrictive regulations passed in 1989 that, in the words of the 1991 OPIC report "reduced the scope previously accorded to freedom of association, organization and collective bargaining, placing new limitations on the right to strike, and restricted collective bargaining on Export Processing Zones."

One final change affecting the rights of teachers to join labor unions should be noted. As was described in our petition of November, 1990, the government has ruled that not only are teachers in the public schools barred from forming or joining a labor union or engaging in collective bargaining. Teachers in private schools, who have no contractual relationship to the government at any level, are also considered "public officials" for the purpose of barring their participation in a labor union. Furthermore, in the spring of 1991, the government passed a special bill on education that, among its other features, specified that the only organization which could represent the interests of teachers was the Korean Education Association, a body controlled by the Ministry of Education.

II. Recent Incidents of Labor Repression

a. **The killing of Park Ch'ang-soo, president of Hanjin trade union.** On May 6, 1991 Mr. Park Ch'ang-soo, president of the Hanjin trade union, (2,300 members) and vice president of the Pusan Federation of Trade Unions (Chonnohyop) was found dead on the cement floor of Anyang Hospital in Seoul. Park and six other leaders of the Pusan Federation had been arrested

0099

12

in February on charges of "third party intervention" for having called for a meeting to discuss plans to support workers at the nearby Daewoo shipyard who were on strike. They were taken to Seoul Detention Center. On May 4, Park was wounded on his forehead while in detention, by unknown causes. Two days later he was found dead in a nearby hospital, with no external wounds. While four detention center officers were dismissed because of the incident, no one was ever charged with his murder. When angry workers stormed the hospital to try to protect his body for an independent autopsy, hundreds of police broke through a wall into his room, shot tear gas cannisters and stole his body away. After a perfunctory official autopsy his body was cremated by the officials, who announced that Park had committed suicide. No evidence of suicide was ever offered.

b. **Blacklists and surveillance records found.** In April, 1991, Daewoo Auto Union workers on strike discovered official materials in their factory which contained a detailed analysis of all union activities since September, 1990 and personal information about 16 union members who had been dismissed and 107 others who were "suspected" of being members of the union.

On Sept. 17, an employee of the Kumho Shoe Mfg. Co. in Pusan came to the press with a list of more than 8,000 names, mostly former activists, who were labeled "problem workers" for their participation in demonstrations. On October 3 a worker in another shoe company in Pusan discovered a similar blacklist with 1,925 names in the company's personnel office. The list contained information available only from government records. The company was a core member of the local Personnel Management Committee of the Footwear industry. All 35 member companies of the committee were reported to ahve made copies of the lists in a meeting in which it was reported that Labor Ministry officials were present.

0100

13

This government distribution of blacklists is a clear violation of the constitution of Korea, which guarantees freedom of choosing one's job, and of labor law art. 31 which prohibits any act that obstructs employment.

c. Dismissals of teachers who join or sign statements sympathizing with the Education Workers Union. On September 17, the Taegu Board of Education dismissed two teachers who refused to withdraw their signatures from a statement supporting the Korean Teachers and Educational Workers Union (Chonkyojo), which the government has ruled illegal.[8] According to officials of Chonkyojo interviewed by myself in August, pressure against teachers who engage in any activities supportive of Chonkyojo continues without letup, in the form of difficult assignments, transfers to isolated areas, and other punitive measures.

d. Level of Industrial Deaths and Accidents unabated.

According to a report of the Labor Rights Research Center in Kuro, Seoul, the number of industrial deaths in 1990 reached a new high: 2,236, up from 1,724 in 1989. Overal industrial accidents were slightly lower, down from 134,127 in 1989 to 132,893 in 1990. These levels, however, continue to make Korea's industrial safety record among the worst in the world.

In the first half of 1991, the Labor Ministry reported an even further increase in the rate of industrial deaths. 1,045 workers died during the first six months, a 10% increase over the first half of 1990.[9]

e. Arrests of union leaders continues. On August 10, Choi Jae-ho, president of the National Bankers Union was arrested, charged with illegally intervening as a third party in a labor dispute.

---

[8]Dong-A Ilbo, Sept. 18, 1991.

[9]Hankyoreh Shinmun, August 31, 1991.

0101

14

On Sept. 8, Lee Kwang-soo, chief of the labor conflict department of the Kyunggi Province Labor Federation (Soowon Branch) was arrested, charged with third party intervention in relation to the strike of Tongyung Aluminum workers, which occurred in June.

This anecdotal evidence of continuing repression provides a clear picture of a government intent on portraying itself internationally as an advance industrial democracy, while it continues practices at home which belie this image and sustain its policy of low wage competition for export sales. The United States Government should not contribute to this practice, or this competition, by underwriting investments in Korea through the OPIC program. We commend you for your decision earlier this year to suspend your program in Korea, and we hope this testimony has provided further evidence of the rightness of that decision, and of holding to that decision until there is genuine improvement in the respect for workers' rights in the Republic of Korea.

Thank you.

STATEMENT OF
DON STILLMAN
DIRECTOR OF GOVERNMENTAL & INTERNATIONAL AFFAIRS
INTERNATIONAL UNION, UAW
on
WORKERS' RIGHTS IN KUWAIT
to the
OVERSEAS PRIVATE INVESTMENT CORPORATION

November 12, 1991

The UAW is petitioning the Overseas Private Investment Corporation to terminate activities and programs involving Kuwait because of that country's failure to take steps to adopt and implement internationally recognized worker rights.

Because Kuwait is not a country which is entitled to benefits under the Generalized System of Preferences (GSP), OPIC will need to make its own assessment of the issue of Kuwait's worker rights record. Based on our recent experience, we have a great deal of confidence in the objectivity and thoroughness of OPIC's review process, despite its limited resources compared with country reviews under the inter-agency process that result from petitions related to GSP labor rights provisions.

The UAW recognizes the unique and difficult situation confronting Kuwait in the aftermath of the brutal and illegal occupation the country experienced following the invasion by Iraq on August 2, 1990.

We joined with the U.S. government, its allies throughout the world and the United Nations in condemning the illegal and heinous acts of Iraq and its leader, Saddam Hussein. The American labor movement strongly condemned the invasion and occupation of Kuwait and supported sanctions and other efforts to force a withdrawal by Iraq.

When the decision was made to go to war to liberate Kuwait, we again strongly supported the American and allied troops deployed to achieve that goal.

0103

Indeed, a significant number of UAW members and those belonging to UAW families served the United States in Operation Desert Shield and Operation Desert Storm.

The UAW is proud of the contribution they made to the effort to free Kuwait from the vicious oppression of Saddam Hussein and the occupying Iraqi forces.

We are also proud of all the other American and allied forces who shared that goal and helped to achieve it. For some families, loved ones were lost in the Persian Gulf conflict--they paid the highest possible price in defense of the values of freedom and liberty and the rule of law about which we care so deeply.

The situation in Kuwait today is extremely difficult. It is a country in the process of recovering and rebuilding from the brutal and unforgivable acts committed against it. The UAW wants to see that recovery go forward in a positive and prompt manner, so that those living in Kuwait can return to some degree of normalcy as soon as possible. We recognize the role that U.S. corporations have to play in that process.

Given the obvious instability in the region and the fact that political risks have been proven in past months to be extreme, it is clear why U.S. companies would seek OPIC insurance and other OPIC support for their activities in Kuwait.

But UAW members and other Americans certainly have a strong position from which to raise questions about the performance of the Kuwaiti government in terms of worker rights--both today and in the very recent past.

Having fought in a war that spilled the blood of American men and women to free Kuwait, it is far from unreasonable for us to desire that democratic rights, including the basic worker rights embodied in the statutes under which OPIC must abide, be respected.

0104

The UAW strongly believes that Kuwait has failed to take steps to adopt and implement internationally recognized worker rights.

We present the following information to OPIC with the expectation that a more thorough and detailed investigation will confirm our view that OPIC must terminate activities there.

Kuwait has had a very restrictive labor code (Law No. 38 of 1964). That law has prevented non-Kuwaiti workers from joining unions until they have resided in Kuwait for five years.

Because about 80 percent of the workforce in Kuwait is non-Kuwaiti, the bar on joining unions is a substantial violation of freedom of association. The large number of migrant workers--Palestinians, Egyptians, Lebanese, Indians, Bangladeshis, Sri Lankans and others--are severely limited in their ability to unionize because of their mobility.

Entire sectors of economic activity have non-Kuwaiti workforces above 90 percent, such as the construction and manufacturing industries. The prohibition on joining unions for non-Kuwaitis for five years thus effectively limits the ability of workers in those industries to enjoy meaningful freedom of association.

The practical effect of the prohibition can be seen by examining the union structures that have developed in Kuwait. Of the 13 unions that have been formed there, nine are civil service unions, three involve the oil sector and one represents bank workers. About 90 percent of the Kuwaitis who work do so in the public sector. The remainder are found primarily in banking, finance or private firms. Of the roughly 27,000 organized workers, the overwhelming number are Kuwaitis.

For the few non-Kuwaitis who have been able to join unions, their rights have been severely limited under the labor code. Non-Kuwaitis have been denied the right to vote within the unions. The only exception is that they can

0105

elect a representative whose only right is to express their opinions to the trade union leaders.

The labor code also requires that at least 15 members must be Kuwaiti before a union can be formed and that there must be at least 100 workers to establish a union. A certificate must be obtained from the Minister of the Interior stating that he has no objection to any of the founding members before a union can be formed.

The statutory limits on worker rights for non-Kuwaitis are severe, but very real, and the practical conduct of the government toward those who might seek greater union freedoms is well known. The analysis of worker rights in Kuwait in the 1991 U.S. Department of State Country Reports puts it bluntly:

"The (Kuwaiti) Government would deport any non-Kuwaiti deemed a troublemaker;..."

A further restriction on freedom of association is the provision of the labor code that has required a worker who wished to join a union to present a certificate of good reputation and good conduct before he or she is allowed to become a member.

The labor code also contains a requirement that not more than one trade union could be established for a given activity. A report of the International Labor Organization (ILO) Committee of Experts criticized the mandated single trade union system, stating:

"If workers choose to group together in a single trade union system, legislation should not impose such a system, but should allow pluralism to be possible in the future. The Committee requests the (Kuwaiti) government to amend its legislation to ensure that workers, should they wish to do so, are able to set up unions outside the established trade union structure in order to safeguard their occupational interests."

0106

Another labor rights restriction is the government's wide powers of supervision over the records and books of unions. Again, the ILO Committee of Experts has been critical, noting "that under Article 3 of the Convention (on freedom of association), workers' organizations must have the right to organize their administration without any interference from the public authorities and that, accordingly, supervision of union finances should not normally go beyond a requirement for the organization to submit periodic financial returns."

The unions that have existed in Kuwait have been criticized as government-dominated or government-controlled. The provisions that have allowed the Kuwaiti government extensive powers over union records and books certainly play a role in substantiating such charges.

It might be noted here that the Kuwait Federation of Trade Unions, which represents 12 of the 13 unions in Kuwait, has affiliated to the communist-controlled World Federation of Trade Unions. During the period of Iraq's occupation of Kuwait, leaders of the Kuwaiti unions had contacts with the International Confederation of Free Trade Unions and expressed thanks for interventions by free labor movements worldwide in support of the liberation of Kuwait. Following the restoration of the Emir and his family, it is all but impossible for trade unionists in Kuwait to speak out publicly against the Emir's policies or to call for treatment of foreign workers in line with ILO conventions. But because this is so, it should not be assumed that Kuwaiti trade unionists would not, under a democratic dispensation, take advantage of labor rights.

A further government power over unions involves the provision that allows compulsory dissolution of any union that commits "acts considered to be violating the provisions of this law and the laws connected with the preservation of public order and morals." Such a dissolution would occur by court decree. While we are unaware of this having occurred in the past, it certainly could pose serious

0107

restraints on any union that sought to function with some degree of independence.

Under the labor code, the right to strike is limited by a provision under which compulsory arbitration can be imposed at the request of one of the parties to the dispute. This restriction also was criticized by the ILO Committee of Experts which urged the Kuwaiti government "to remove the excessive restrictions imposed on the exercise of the right to strike," while recognizing that an exception might be allowed in the case of strikes in essential services in the strict sense of the term or in the event of acute national crisis.

We are aware of only one threatened strike during the last five years. It involved oil workers demanding a pay increase and was called off after officials promised to address the issue at a later date.

Unions in Kuwait have been barred from engaging in any political activity. We believe this is any unacceptable restriction on worker rights.

The world has seen unions spearhead the struggle for democracy in a number of countries. The efforts of Solidarnosc in Poland helped topple the communist dictatorship there, for example. In South Africa, the independent black trade unions are in the forefront of the battle to destroy apartheid and install democracy.

It is not difficult to understand why the ruling Emirs of Kuwait lack enthusiasm for democracy and choose to ban any political activity by labor. But as the pressures for greater political freedom grow, we strongly believe unions should have the right to engage in political activity.

There are a number of other worker rights problems in Kuwait that contribute to the country's overall failure to meet the OPIC standard.

In March 1989, a new labor law on expatriate workers was adopted. It provided that private sector workers can change jobs only if they have either

0108

served a full three years in their current jobs or have been in Kuwait legally for more than 10 years.

Non-Kuwaitis were banned from taking up employment with anyone other than their official sponsors. A "contract" for a worker lasts three years. Any expatriate found working for two employers in the private sector could be deported.

The Minister of Social Affairs and Labour has the right to reject any work permit application, renewal or transfer without revealing the reason. The Minister also can ask the employer to cancel the work permit of a particular worker and deport the worker to his or her home country.

Certainly, such a system severely limits job mobility and the freedom of workers to better their lot by hiring on with employers that offer better economic and working conditions. Indeed, the "contract" system smacks of indentured servitude.

The system also creates such an imbalance between workers and employers that very basic abuses can occur. The U.S. Department of State Country Reports for 1991 noted, for example, that "there were credible reports that sizable groups of South Asian expatriate workers doing manual labor were not paid promised salaries in the first half of 1990."

The State Department report on Kuwait stated that "despite penalties for such violations as nonpayment or underpayment of wages, the abuses continued."

Another group of exploited workers are domestic workers, virtually all of whom come from non-Muslim countries, such as Sri Lanka, Thailand and the Philippines. Again the State Department report acknowledged that "abuses did occur in the treatment of unskilled foreign workers, particularly household maids and servants."

0109

Those abuses appear to extend beyond nonpayment of wages. Writing in The Nation magazine about the lack of worker rights in the Gulf, Denis MacShane of the International Metalworkers' Federation states: "For the 35,000 Sri Lankan domestic servants in Kuwait, the provision of sexual services has been an unwritten part of their contract."

Again, the labor system in Kuwait is what makes possible such abuses. With huge barriers to unionization for 80 percent of the workforce and with a contract system binding a worker to a single employer, workers in Kuwait clearly do not enjoy internationally recognized worker rights.

Since the liberation of Kuwait earlier this year, there are new and disturbing reports about worker rights violations. Those violations occur in the broader political context in the aftermath of the Gulf war.

For example, the Philadelphia Inquirer reported in May that the Bechtel Group Inc., a U.S.-based company, fired dozens of Palestinian employees in Kuwait on orders from the government there. Bechtel is the most active American company involved in the reconstruction of Kuwait.

The fired workers alleged that they were dismissed as part of a broader campaign by the Kuwaiti government to punish Palestinians for PLO leader Yassir Arafat's support for Iraq during the Gulf war. Some reportedly received letters on Bechtel letterhead stating that the worker's "performance and attitude were completely to Bechtel's satisfaction and we regret we are losing his services."

The harassment of Palestinian workers in the war's aftermath prompted the International Confederation of Free Trade Unions (ICFTU) to ask the ILO to contact the Kuwaiti authorities. The ICFTU expressed "its concern about news of the harassment of Palestinian workers and a witch hunt being carried out indiscriminately against the whole community."

0110

About 170,000 Palestinians were believed to have fled Kuwait during the war. They have been prevented from returning. There are about 150,000 Palestinians still in Kuwait--many of them born·there. News reports have indicated the Kuwaiti government plans to expel many of them.

An ILO round table held to discuss the problems of migrant workers affected by the war described a number of problems from which they are suffering. Among them:

o   End-of-service benefits due to, but not obtained by, migrant workers, which in Kuwait are important--upon retirement, they are often equivalent to a pension;

o   Unpaid wages;

o   Savings in Kuwaiti banks that cannot be withdrawn; and

o   Inability to claim property and personal belongings.

We do not contend that these abuses all fall under the category of internationally recognized labor rights abuses, but many do. While acknowledging the obvious dislocations caused by war, the pattern of abuse against Palestinian workers and certain other Arab workers is clear.

In conclusion, we believe the record amply demonstrates that the government of Kuwait has failed to take steps to adopt and implement internationally recognized worker rights. As a result, we respectfully request that OPIC terminate activities and programs involving Kuwait and halt any new loans or political risk insurance for the future.

The UAW will cooperate with OPIC in its investigation of the situation and will provide any new information or clarification of the worker rights situation in Kuwait as it becomes available.

Thank you for your consideration of this petition.

opeiu494

0111

American Federation of Labor and Congress of Industrial Organizations

November 8, 1991

Mr. James R. Offutt
Office of General Counsel
Overseas Private Investment Corp.
1615 M Street, N.W.
Washington, D.C. 20527

Dear Mr. Offutt:

In accordance with the October 18, 1991, notice in the
Federal Register, as well as my letter to you dated November 4,
1991, I am hereby communicating to OPIC the AFL-CIO's continued
concerns about the gross violations of worker rights in the
People's Republic of China.

In a statement submitted to OPIC on November 17, 1989, the
AFL-CIO summarized the plight of China's working men, women, and
children. We emphasized that, because of violations in all of
the five worker rights categories prescribed in U.S. law, the
People's Republic of China does not qualify as a country in which
OPIC can legally operate.

Since that 1989 statement, the case against China's OPIC
eligibility has been buttressed with a huge quantity of new
documentary evidence of China's forced labor system. That system
is patterned after the Soviet Union's infamous _gulag_, but with a
Beijing wrinkle: the profit motive. Millions of imprisoned
persons, political prisoners included, are part of China's full-
time labor force, making products—everything from socks and
textile goods up to machine tools and automobiles—for domestic
and foreign markets.

We attach a partial listing of the recent documentary
evidence on compulsory labor in the People's Republic of China.

1

0112

Some of the documents deal with the export of prison products to the United States, a violation of U.S. law. I want to make clear, however, that the AFL-CIO opposes all forced labor, not just the part engaged in production for the U.S. market. China's exploitation of foreign markets affects the volume and direction of its prison production, of course, but the intrinsic evil lies in the exploitation of human beings, including human rights activists, to do forced labor, no matter what the market.

I also want to emphasize that forced labor is only one of the symptoms of a system afflicted with a broad range of human rights violations and that workers are the most numerous victims of this repression.

In short, therefore, China's dismal record on worker rights continues to disqualify it for OPIC benefits. No one should be misled by Beijing's announcements of plans to institute this or that reform. The trustworthiness of such promises can be judged by the long line of official PRC denials that its prisons were manufacturing goods for export--a practice that Beijing now says will stop.

Sincerely,

Rudy Oswald
Rudy Oswald
Director
Department of Economic Research

att: bibliography

2

0113

FORCED LABOR IN CHINA: A BIBLIOGRAPHY

Congressional Testimony

1. Lane Kirkland, president of the AFL-CIO, April 22, 1991, before the Senate Foreign Relations Committee.

2. Rudy Oswald, director, Economic Research Department, AFL-CIO, May 28, 1991, at Joint Subcommittee hearings of the House Committee on Foreign Affairs.

3. Jeffrey L. Fiedler, secretary-treasurer, AFL-CIO Food and Allied Service Trades Department, October 17, 1991, before the House Subcommittee on East Asian and Pacific Affairs.

4. Orville Schell, vice chairman, Asia Watch, October 17, 1991, before the Senate Foreign Relations Committee.

5. Steven W. Mosher, director, Asian Studies Center, the Claremont Institute, June 6, 1990, before Senate Foreign Relations Committee.

U.S. Government Reports

1. Forced Labor in the People's Republic of China, U.S. General Accounting Office, July 1990.

2. Forced Labor in the People's Republic of China, Law Library of Congress, April 1990.

3. Chapter on China in Country Reports on Human Rights Practices for 1990, U.S. Department of State, February 1991.

Other Reports

1. Forced Labor in China by Wu Hongda, AFL-CIO Department of International Affairs, October 1990.

2. Loagai: the Chinese Gulag by Wu Hongda, Human Rights in China, New York, February 1991.

3. Prison Labor in China, Asia Watch, April 19, 1991.

Newspaper and Magazine Articles

1. "China: Most Favored Prison" by Charles D. Gray,

3

0114

Washington Post, July 15, 1990,

    2. "China's Ugly Export Secret: Prison Labor," <u>Business
Week</u>, April 22, 1991.

    3. "Made in China, By Forced Labor," editorial, <u>Washington
Post</u>, September 30, 1991.

    4. "Why Reward China's Slave Labor?", editorial, <u>New York
Times</u>, September 30, 1991.

    5. "Reform Through Labor in Our Country" by Jim Jian in
Beijing <u>Renmin Ribao</u>, June 22, 1990, published in FBIS, June 19,
1990.

    6. "China's Dirty Little Trade Secret" by Jeff Greenwald and
Kathy Kennedy, <u>Los Angles Times Magazine</u>, June 16, 1991.

November 7, 1991

4

원 본

외 무 부

종   별 :

번   호 : USW-5726   일   시 : 91 1120 1655

수   신 : 장관(미일, 기정) 사본: 주미대사, 법무부장관

발   신 : 주 미 대사

제   목 : 캐네디 인권상 시상식

대: WUS-5077

연: USW-5669

1. ROBERT KENNEDY 기념사업회는 금 11.20 조지타운 대학 구내 강당(GATON 홀)에서 E. KENNEDY 상원의원등 사업회 관계자 및 천여명의 하객이 참석한 가운데 인권상 시상식을 거행한 바, 당지 방문중인 인재근은 천거 수상자의 일원으로 참석, 일반 객석에 자리하였음.(당관 박흥신 서기관 참석)

2. 시상식 사회자(TON BROKAW NBC 앵커맨)는 개회 벽두 기념사업회 관계자 소개에 이어 87 년 인권상 수상자인 인재근이 3 주전 한국 정부로부터 여권을 발급받아 이자리에 참석하게 된것을 환영한다고 간략히 언급 하였음. 이어 등단한 KENNEDY 상원의원은 연설 서두에서 4 년전 한국 정부의 출국 불허로 수상식에참석치 못했던 인재근이 이번에 뒤늦게나마 자리를 함께하게 되어 기쁘나 공동수상자인 인의 남편 김근태는 작년부터 수감중에 있어 참석하지 못한 것을 유감으로 생각한다고 말한바, 인재근은 자리에서 일어나 참석자들의 박수에 답하였음

3. 인재근은 당지 체재중 상기 시상식 참석외에 금일중 FOGLIETTA 하원의원과 면담 예정이며, 기타 특별한 일정은 없는 것으로 파악되고 있는바 특기사항있으면 추보 하겠음.

(대사대리 김봉규 - 국장)

91.12.31 까지

미주국	장관	차관	1차보	2차보	미주국		외정실	분석관
청와대	안기부	법무부						

딸도함께 꿈도함께 번영도함께

주 보 스 톤 총 영 사 관

보스톤(정): 2050- /09   1991. 11. 25.
수신 : 장관, 주미대사
참조 : 미주국장, 외교정책 기획실장
제목 : 민가협 인사의 인권 관계 강연

     1. 민가협창설자 인재근 (김근태 전민련 회장의 처) 이 91.11.23. 15:00-
하바드대 엔칭 연구소에서 " 남한의 민주화와 인권 (DEMOCRATIZATION AND HUMAN
RIGHTS IN SOUTH KOREA)" 이라는 제목으로 강연하였는 바, 그 요지를 아래 보고합니다.
     가. 방미 경위 및 목적
        o 91년도 JFK 인권상 시상식(11.20)에 역대 수상자의 일원으로
          초청을 받아 참석차 방미
        o 내년도 자유스러운 분위기속에서 4개의 선거등 주요한 정치
          일정이 자유로운 분위기속에서 순조롭게 추진되도록 아직도
          재소중인 1300여명의 정치범 석방을 위해 미국언론 및 교민
          에게 진상설명
     나. 한국의 인권 상황 및 민주화 운동
        o 외견상 민주화가 추진되고 있고, 또 홍보 때문에 일반국민이나
          외국에서는 한국의 인권문제에 대한 관심이 회박해지고 있음.

                            / 계속....

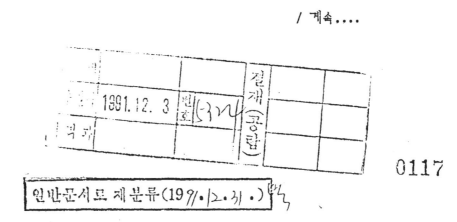

일반문서로 재분류(1991.12.31.)

0117

ㅇ 그러나 민주화의 척도가되는 정치범의 숫자가 1300여명에
  이르고 이중에는 20년이상 복역중인자만도 35명이나 되는 바,
  동서이념의 장벽도 무너지고 또 남.북 화해 추세에서
  사상과 이념을 초월해서 빨리 석방되어야 함.

ㅇ 또 민주화 운동권 인사에 대한 선고도 뚜렷한 기준에 의하지
  않고 자의적인 선고 (미친년 널뛰기식)를 하고 있는데 이런
  정부가 어떻게 민주화 되었다고 볼수 있는 가.

ㅇ 민주화 인사에 대해서 조직적이고 지능적인 물리적 고문은
  5공 시절에 비해 줄어들었으나 잠안재우기, 구타, 인간적인
  모욕등의 고문은 여전함.

ㅇ 지난 5-6월에 많은 열사가 탄생, " 노태우 정권" 에 대한
  밀어부치기 추세가 압도적이었으나, 정원식 총리에 대한 밀가루
  소동, 전민련 소속인사 (김기설) 의문사, 강경대군 사건등이
  공권력의 음모와 횡포로 일반국민들에게는 민주화 운동자체에
  대한 거부감정을 유발시켰고, 민주화 운동 인사들이 단결하지
  못하고, 따로따로 활동을 벌임으로서 민권운동에 대한 외면,
  관심이탈을 초래함.

ㅇ 그러나 전민련 총무부장 (강기훈) 유서대필 사건과 전민련
  인권위원장(서준식)의 재 구속을 통하여 볼수 있듯이
  현 정권은 자기들 업무에 걸림돌이 된다고 생각할때는
  누구든지 어느때라도 제거할수 있다는 것을 보여주고있음.

/ 계속...

0117-1

보스톤(정): 2050-   1991. 11. 25.

다. 결론 및 당부사항
  ○ 현 정권이 외견상 민주화 조치를 취하면서 고도의 선전을
    구사하기때문에 한국내 인권 문제가 전혀없는 것 처럼 보일수도
    있으나, 아직 많은 양심수가 구속되어 있고, 비 민주적인
    형태가 자행되고 있음.
  ○ 내년의 권력 교체라는 중요한 시기에 조국의 현실을 직시,
    해외유학중인 학생들도 조국의 민주화를 위해 역할을 해야
    될 것임.
  ○ 본인은 방미중 국무부 한국과장, 인권차관보실 BISHOP씨를
    만나 한국의 정치범 석방에 노력을 당부한 바, 이들은
    노력하겠다고 약속함.
  ○ 미국이 크고 큰힘을 갖고 있지만 그것에 주눅이 들지 말고
    한국의 민주화 실현을 위한 노력의 중요성을 인식시키고
    협력을 얻기위해 노력해 주기 바람.

  2. 동 강연은 HARVARD 대학 대학원 한인 학생회 (THE KOREAN SOCIETY)와
학부 학생회 (HARVARD-RADCLIFF) 공동 주최로 되어있으나 실제로는 HARVARD
YENCHING INSTITUTE의 KOREA INSTITUTE부소장 EDWARD BAKER가   주선한
것으로 보이며 이날 참석자는 21명 (한국인 16명, 외국인 5명)으로서 관심 및
반응은 매우 저조하였읍니다.

첨부 : 강연 안내문 사본 1부.   끝.

주   보   스   톤   총   영   사

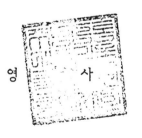

0118

The Korean Society and
the Koreans of Harvard-Radcliffe

Present:

A Discussion by

In Jae Keun

인 재근

Founder of Min-Ka-Hyup
Wife of Kim Keun Tae &
Co-recipient of the 1987
Robert F. Kennedy Human Rights Award

"Democratization and
Human Rights in South Korea"

November 23, 1991
3:00 P.M.
2 Divinity Avenue, Room 212

관리 번호	91- 2436

외 무 부

종 별 :

번 호 : USW-5968　　　　　　　　　　일 시 : 91 1203 1850

수 신 : 장 관(미일,국기,봉이,해외,경기원,노동부)

발 신 : 주 미국 대사

제 목 : 아국의 노동권 문제에 관한 세미나

　　죠지타운대학 아시아문제 연구소에서 개최해오고 있는 "WASHINGTON SEMINARON KOREA" 의 일환으로 한국의 노동권 문제에 관한 세미나가 12.2 개최된 바, 동 결과 요지 하기 보고함.(당관 김광옥 공보관, 공덕수노무관 및 서용현 서기관, 미 국무부 A. ADLER 국제프로그램 과장, 노동부 G. HALM 아시아 담당과장등 각계인사 40 여명 참석)

　　1. 주제발표

　　. 당지 메릴랜드대학에서 여성학을 연구중이며, 지난 86-88 간 마산수출자유지역에서 근로자로 일하였다는 김승경박사(여)가 "WAHT WENT WRONG?: THE RISEAND FALL OF LABOR UNIONS IN MASAN, KOREA" 라는 제하의 연구 논문을 발표함.

　　. 김박사는 마산지역의 여성노조활동이 87 년중에 전성기에 달했으나 그 이후 정부의 탄압과 사용자측의 공장 폐쇄위협등으로 89 년에 이르러서는 노조 활동이 사실상 유명무실하게 되었다고 하면서, 여성 노조지도자들 및 단체들의 활동, 배경 및 생활환경등을 설명하였음.

　　2. 논평

　　. 논평자로 나선 G. HALM 노동부 과장은 한국의 노동운동이 87 년에 활발해진 것은 노조 자체의 활동강화 때문이라기 보다는 87 년 당시의 한국내의 전반적인 자유화, 민주화에 힘입은 바가 큰 것으로 아는데, 김박사가 이러한 전체적 배경을 언급하지 않고 노조내부 활동에만 촛점을 맞춘것은 균형된 접근방법이 못된다고 비평함.

　　. 반면, 동인은 한국이 89 년이후 노동권 보호에 진전을 보이지 않고 있으며, 이 때문에 한국은 최근 OPIC 에 의해 노동권 탄압국으로 지목된 바 있다고 언급함.

　　3. 질의응답 및 자유토론

　　. 당관 서서기관은 김박사 논문에서 언급된 화염병 부척이나 회사 사장의

미주국 정와대	장관 안기부	차관 경기원	1차보 노동부	2차보 공보처	국기국	봉상국	외정실	분석관

PAGE 1　　　　　　　　　　　　　　　　　　　　　　91.12.04　　13:25

인반문서로 재문류(1991.12.31.)　　　　외신 2과 통제관 BS

0120

인질억류등 행위가 미국에서라면 처벌되지 않겠는 지 반문하면서, 왜 동일한 위법행위자 구속이 한국에서 일어나면 탄압행위로 불려지고 미국에서 일어나면 질서유지행위로 불려지는지에 대해 의문을 표함.

- 죠지타운대 MACDONALD 교수등 참석자들은 이에 대해 동감을 표하고, 미국도 과거 석탄채광근로자 탄압등 노동운동탄압의 역사를 갖고 있으며, 현재의 미국의 노동권보호도 국제기준에 비추어 그렇게 월등한 것이 되지 못함을 인정함.(이와 관련 당관 공노무관은 미국이 ILO 관련 협약 172 개중 11 개만 가입하고 있음을 상기 시킴.)

. 또한 서서기관은 김박사가 89 년에 와서 노조 가입근로자수가 격감된 이유를 정부의 탄압등에서 찾고 있으나 이를 뒷바침할 논리적 증거를 제시치 못하고 있다고 지적하고, 그보다는 한국에서 일반시민들이 과격폭력학생시위에 실증이난것과 마찬가지로 일반 근로자들도 대폭적 임금인상등 근로조건 향상이 이루어진 상황에서 계속 정치화되고 과격화하는 노조 활동에 대한 참여를 꺼리게 된 것이 노조가입근로자수 감소의 직접적인 원인인 것으로 본다고 말함.

- 이에 대하 여타 참석자들은 지난 3,4 년간 한국의 노동운동은 임금인상등측면에서 세계의 어느 국가의 노동운동 보다 성공적이었으며, 그 결과로 현재 한국의 임금은 아시아지역 NICS 국가중 최고 수준에 달하고 있어 한국산업의 국제경쟁력을 저하시키고 있다고 지적함.

. 또 다른 참석자는 89 년에는 수출자유지역내에서의 노조활동을 금지하였다는 김박사의 설명과 관련하여, 한국의 노동운등이 김박사 설명처럼 과격, 폭력화하여 외국의 부자가들의 경원의 대상이 되었다면, 수출이 한국경제의 발전에서차지하는 비중에 비추어, 한국정부가 이러한 과격 노조활동에 대해 일정한 봉제를 가하게 된 것도 이해할 수 있는 것이 아니겠느냐고 반문함.끝.

(대사 현홍주-국장)
예고:91.12.31 까지

PAGE 2

0121

관리
번호 91-
2456

원 본

외 무 부

종 별 :

번 호 : USW-6030

일 시 : 91 1205 1848

수 신 : 장관(미일)

발 신 : 주미대사

제 목 : 임수경 관련 서한

대: 미일 0160-2796

대호 임수경 관련 본직명의 서한을 12.2 GORTON 상원의원실에 전달하였음.

(대사 현홍주-국장)

91.12.31 까지

<보존문서로 재분류(1991 /2. 31.)02

미주국

주 라 성 총 영 사 관

주라성(정)20231-　　**003841**　　　　　　1991. 12. 17.

수　신 : 장관

참　조 : 미주국장

제　목 : 서한전달

　　1.　Amnesty International 회원인 Caroline Hammond는 별첨 동인의 서한을
　　　　노 대통령앞으로 전달해 줄 것을 당관에 요청해 왔기 이를 송부합니다.

　　2.　동인은 동 서한은 통해 Amnesty Internationl이 아국인 고 광표와
　　　　유 원호를 양심범으로 선정하였다 하며 양인의 조속한 석방을 요청하고
　　　　있읍니다.

　　첨　부 : 동 서한 2매. 끝.

0123

CAROLINE B. HAMMOND, M.A.

Speech - Language Pathology
Dysphagia Clinician
CCL-SLP #7585

1051 Site Dr. #121
Brea, CA 92621
(714) 256-1060

12/4/91

President Roh Tae-woo
c/o Korean Consulate
3243 Wilshire Blvd. 2nd Floor
Los Angeles CA 90010

RE: Yu Won-ho

Dear Mr. President:

I am a member of Amnesty International. As you know, AI is concerned with human rights issues throughout the world. We are currently concerned with one of your prisoners, Mr. Yu Won-ho. It is my understanding that he has been charged with a violation of the National Security Law after a visit to North Korea. Although he was acquitted of charges of praising and sympathizing as well as charges that he took instructions from and acted in collusion with North Korea he is still being held for harming the interests of South Korea.

Amnesty International has adopted Yu Won-ho as a prisoner of conscience and, as such, call for his immediate and unconditional release. It appears that the only remaining charge is that he fell victim to a propaganda ploy. I would appreciate information from your government as to why, after being acquitted of these serious charges, Mr. Yu is still being held.

Thank you for your consideration.

Sincerely,

Caroline Hammond

Caroline Hammond
Amnesty International # 141

0124

CAROLINE B. HAMMOND, M.A.

1051 Site Dr. #121
Brea, CA 92621
(714) 256-1060

Speech - Language Pathology
Dysphagia Clinician
CCL-SLP #7585

12/4/91

President Roh Tae-woo
c/o Korean Consulate
3243 Wilshire Blvd. 2nd Floor
Los Angeles CA 90010

RE: Koh Chang-pyo

Dear Mr. President:

I am a member of Amnesty International. As you know, AI is concerned with human rights issues throughout the world. We are currently concerned with one of your prisoners, Mr. Koh Chang-pyo.

Mr. Koh is charged with espionage after a business trip to Japan. However, Mr. Koh alleges that he was tortured in order to make him confess to these charges. Indeed, his defense attorney argue that the information he gathered was openly known to the community and was not a national secret.

Amnesty International has adopted Koh Chang-pyo as a prisoner of conscience and, as such, call for his immediate and unconditional release. In addition, I urge you to conduct a full and impartial investigation into charges that Mr. Koh was tortured. Please provide me with any information from your government regarding Mr. Koh.

Thank you for your consideration.

Sincerely,

Caroline Hammond

Caroline Hammond
Amnesty International # 141

0125

관리 번호	91- 3008

외 무 부

종 별 :

번 호 : USW-6403   일 시 : 91 1223 1853

수 신 : 장관(미일, 봉이, 경일)

발 신 : 주 미 대사

제 목 : SCHIFTER 차관보 면담

연 USW-6400

1. 본직은 금 12.23 연호 MCALLISTER 차관보에 이어 국무부 인권국 SCHIFTER 차관보와 면담하고 OPIIC 보고서에 대한 평가를 중심으로 아국 인권상황에 대하여 설명함.

2. 본직은 OPIC 이 한국에서의 사업을 중단하기로 한 것은 경제적으로 큰 의미가 없는 조치이나, 한국의 노동권 보장이 후퇴한 것을 그 이유로 든 것은 일방적인 설명에 기초하여 공정성을 결여한 것이므로 우려하지 않을 수 없다고 하고, 일례로 OPIC 보고서가 예로든 노동관계 법안 2 개에 대한 대통령의 거부권행사는 본직도 법제처장으로 관여되어 잘아는 사례인 바, 미국 변호사들도 동 법안의 내용이 미국의 일반적 관행을 넘어서는 과도한 노동권 보장을 요구하는 것임을 인정하고 있다고 설명하였음. (본직은 당관이 당지 법률회사를 고용 작성한연호 보고서를 전달함.)

3. 이에 대해 SHCIFTER 차관보는 국무부로서는 6 공화국이 1988 년 출범이래 인권보호를 위해 많은 발전을 이룩한 것을 잘 알고있으나, 문제는 이러한 바탕과 국제정세의 변화를 기초로 기존의 법률을 정비함으로써 인권보장의 제도적 뒷바침을 만들어 나가는 것으로 본다고 하면서, 그 예로 국가보안법의 경우 소련해체등 국제정세 변화를 배경으로 국가보안법 완화를 기할 수 있을 것으로 본다고 하였음.

4. 본직이 이에 국제정세가 급변하고 있으나, 북한만은 그 예외임을 지적하자 SCHIFTER 차관보도 이점에 수긍하면서 91.11 방한시 국회(오유방 의원), 사법부, 법무부, 변협등의 여러 인사를 면담하여 협의한 바 있다고 하면서, 한. 미 양국간에 법조 인사 교류를 확대하면 한국의 법제, 사법운영에 도움이 될 수 있을 것으로 보아 이의 이행을 위해 적극 노력하고 있다고 하였음.

4. SCHIFTER 차관보는 또한 일부 인권단체가 한국내에 1,300 여명의 정치범이

미주국	장관	차관	1차보	2차보	경제국	통상국	외정실	분석관
청와대	안기부							

PAGE 1

있다고 주장하나, 국무부로서는 정치적 신념을 이유로 범죄를 저지를 사람까지 정치범으로 간주하지 않으며, 협의적 의미의 정치범만을 인정하고 있다고 부연하면서, OPIC 과 관련하여서는 당관이 작성한 보고서를 참고 하겠다고 하였음.

　(대사 현홍주-국장)

　예고:92.12.31 일반

외 무 부

종 별 : 지 급

번 호 : USW-6399   일 시 : 91 1223 1848

수 신 : 장관(미일)사본: 법무장관

발 신 : 주 미국 대사

제 목 : 하원 의원 연서 서한

　　연 USW-2360

　　1. EDWARD FEIGHAN 의원(민주, 오하이오)은 김근태의 석방을 촉구하는 하원의원
18 명의 12.20 자 별첨 연서 서한을 노태우 대통령께 발송 예정임을 당관에알려왔음.

　　2. 상기 연서 가담 의원들은 대부분 연호 91.5.15 자 동일한 목적의 연서 서한에도
가담한 진보성향의 의원들인바, 김근태 관련 특이 사항이나 관련 지시 사항 있으면
회시 바람.

　　첨부 USW-5712.끝.

　　(대사 현홍주-국장) 예고: 92.6.30 까지

법무부와 협의.
연서의원들에게 우 미대사가
설명한 자료 송부 토록
조치 한것
12/26

미주국	장관	차관	분석관	청와대	안기부	법무부

PAGE 1

○

주 미 대 사 관

USR(F) : 5712   년월일 : 91.12.23   시간 : 18:48

수 신 : 장 관

발 신 : 주미대사 (미일, 나별 : 법무부장관)

보 안 통 제	그

제 목 : 천■   (출처 :   )

(5712 - 3 - 1)

외신 1과 용 제	-

8

0129

Congress of the United States
House of Representatives
Washington, DC 20515

December 20, 1991

President Roh Tae-woo
The Blue House
Seoul
The Republic of Korea

Dear President Roh:

In this holiday season, we congratulate you on the signing of the non-aggression pact between South and North Korea. We welcome the steps your government is taking to promote the total reconciliation of the Korean people and wish you our best in this endeavor.

As tensions begin to recede on the Korean peninsula, we remain concerned about one feature of the past: South Korea's political prisoners, especially Mr. Kim Keun-tae. Mr. Kim was sentenced to two years in prison for his supposed role in helping organize nationwide demonstrations in May, 1990. Although some were marred by spontaneous violence, sufficient evidence to attribute the violence to Mr. Kim is lacking. Amnesty International has recognized Mr. Kim as a prisoner of conscience because of his imprisonment solely for his expression of political beliefs. In the past, the Robert F. Kennedy Memorial Human Rights Center awarded Mr. Kim and his wife, In Jae-keun, its annual human rights award for their work.

Kim Keun-tae has long demonstrated his commitment to democracy in Korea. In fact, his advocacy during the regime of Chun Doo-hwan resulted in his torture and three year imprisonment. As Korean democracy is manifested in the holding of free elections next year, to deny one of its strongest advocates his freedom because of his opinions would be an extreme injustice. For this reason, we strongly urge the immediate release of Kim Keun-tae and other prisoners of conscience.

Sincerely,

EDWARD F. FEIGHAN, M.C.   THOMAS M. FOGLIETTA, M.C.

TOM LANTOS, M.C.   FRANK J. GUARINI, M.C.

(5)12-3-2ⓞ

0130

○

President Roh Tac-woo
Page 2
December 20, 1991

ROBERT J. GRAZEK, M.C.   ANTHONY C. BEILENSON, M.C.

BARBARA BOXER, M.C.   MAJOR R. OWENS, M.C.

JAMES P. MORAN, M.C.   WILLIAM J. HUGHES, M.C.

JOSEPH P. KENNEDY, II, M.C.   PETER H. KOSTMAYER, M.C.

BARNEY FRANK, M.C.   LOUISE M. SLAUGHTER, M.C.

CHRISTOPHER H. SMITH, M.C.   VIC FAZIO, M.C.

EDWARD J. MARKEY, M.C.   MEL LEVINE, M.C.

5212-3-3

0131

관리 번호	91 - 3006

외 무 부

종   별 : 지 급

번   호 : USW-6400   일   시 : <u>91 1223 1853</u>

수   신 : 장 관(미일,봉이,경일,경기원,노동부,외교 안보,경제수석)

발   신 : 주 미국 대사

제   목 : OPIC 의 대아국 사업 중단에 대한 대응

　　1. 본직은 12.23 EUGENE MCALLISTER 미 국무부 경제 차관보를 면담, 연호 OPIC 의 대아국 사업 지원 중단 조치와 관련, 당관이 그간 현지 변호사를 활용 작성한 자료를 토대로 OPIC 의 <u>불합리한 결정을 번복하는 문제에 대해 협의한바,</u>그 요지를 아래 보고함(장기호 참사관 배석)

　　가. 본직은 제 6 공화국에 들어서 각종 법률과 제도의 개선등 민주화가 지속적으로 추진됨에 따라 노동자의 권익도 크게 신장하여 노동 조합수가 3 배로 증가하였고 임금도 2 배 이상으로 인상되는등 근로 조건이 크게 개선되어 왔는데, OPIC 이 이러한 전반적인 한국내 노동권 신장 추세를 도외시하고 일부 노동 쟁의 단체들이 제공한 불충분한 자료를 토대로 하여 OPIC 의 전 세계 사업 대상국(122 개국)중 라이베리아, 이디오피아, 루마니아, 수단등과 함께 한국을 노동 탄압국으로 지목하는 조치를 취한것은 최근 한국의 시장 된 노동권 추세를 옳바르게 대변하지 못한 조처로서, 이를 그대로 받아 들일수 없음을 강조하였음.

　　나. 또한 한국의 경우 OPIC 사업의 수혜가 거의 없어진 상황에서 이러한 조치는 경제적 측면에서도 실익이 없고, 오히려 한. 미간에 좋지 않은 영향을 미치는 조치에 불과하므로 미 국무부가 OPIC 의 결정을 번복하도록 협조해 줄것을 요청 하였음(상기 설명시 당관이 현지 법률회사 SIDLEY AND AUSTIN 을 활용하여 작성한 별첨 영문 자료를 제시함)

　　다. 이에 대해 MCALLISTER 경제 차관보는 국무부로서는 OPIC 의 결정이 잘된 것이라고 보지 않는다고 전제하고 한국은 87-89 기간중 노동권이 상당히 시장되어 이를 크게 평가하였으나 89 년 한국 국회를 통과한 노동 조합법과 노동 쟁의 조정법 개정안이 정부에 의해 재의 요구된것과 노사분규 관련 구속자가 늘어난 이후 한국의 노동권 보호 상태가 오히려 뒷걸음질 치고 있다는 느낌을 주어 주로 이 문제가 OPIC

미주국	장관	차관	1차보	2차보	경제국	통상국	외정실	분석관
정와대	정와대	안기부	경기원	노동부				

PAGE 1

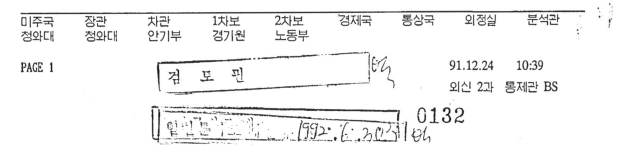

검 토 필

0132

91.12.24   10:39
외신 2과 통제관 BS

심의 결정에 크게 작용한것으로 보며, OPIC 의 결정을 번복하기에는 어려움이 있지만 한국측이 제시한 자료를 검토, OPIC 측과 협의해 나가겠다고 하였음. 이어 동 차관보는 최근 한국의 ILO 가입은 하나의 POSITIVE STEP 으로서 이를 환영하며 매우 중요한 조치라고 평가하였음.

라. 이에 대해 본직은 한국 국회를 통과한 노동 관계 법안이 VETO 된것은 위헌적 요소가 있어 취해진 조치이며, 미국 변호사가 작성한 별첨 자료에도 언급되어 있듯이 동 법안의 내용이 미국에서도 허용될수 없는 노동 쟁의 권한을 과도하게 부여한 너무 지나친 내용들임을 지적하고, 동 법안 VETO 당시에 본직이 정부에서 그 문제를 직접 다루었던바 노동권을 제약.탄압하려는 의도는 전연 없었음을 강조하였음.

또한 이제는 한국이 ILO 에 가입되어 회원국으로서 보다 적극적인 조치를 취해 나갈수 있을것이므로 OPIC 결정이 번복되도록 미측의 협조를 요청하였음.

마. MCALLISTER 차관보는 한국 정부측의 법안 부결의 의도가 어디어 있었는지를 읽는것도 중요하다고 하고, 한국측이 제시한 상기 보고서등 자료와 ILO 가입 이후 상황등을 검토, OPIC 과 협의해 나가겠다는 반응을 보였음.

2. 당관에서는 금번 미 국무부 접촉을 계기로 하여, 추후 국무부, 노동부등 각급 기관의 실무부서 및 OPIC 등에 아측 입장을 설명하는등 OPIC 의 결정 번복이 이루어 지도록 추진할 계획임.끝.

(대사 현홍주-국장)

예고: 92.6.30 일반

공   란

공 란

공   란

공　　　란

공   란

공   란

공   란

공 란

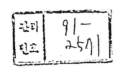

외 무 부

110-760 서울 종로구 세종로 77번지 / (02) 720-2321 / (02) 720-2686

문서번호 미일 0160-3140
시행일자 1991.12.24.
(경유)
수신 법무부 장관
참조 법무실장

취급		장 관	
보존			
국장	전결		/
심의관			
과장			
기안	홍석규		협조

제목 김근태 석방 촉구 미 하원의원 연서서한

　　1. 주미대사는 Edward Feighan(민주, 오하이오) 의원을 비롯한 18명의 미 하원의원들이 김근태의 석방을 촉구하는 12.20.자 연서서한을 노 대통령께 송부할 예정임을 별첨 전문(USW-6399)과 같이 보고하여 왔습니다.

　　2. 금번 연서서한에 가담한 의원들은 지난 5.15.자 동일 목적의 연서서한에도 가담한 진보성향의 의원들이라 합니다.

　　3. 상기관련, 당부로서는 주미대사로 하여금 동 연서서한에 가담한 의원들에게 김근태의 범죄사실, 수형현황 등 관련자료를 기초로 ~~빠빠~~ 설명 또는 서한을 발송케 할 예정인 바, 동 관련자료를 ~~작성~~ 당부로 송부하여 주시기 바랍니다.

첨부 : 1. 상기 주미대사 보고 전문 사본 1부.
　　　　2. 상기 연서서한 사본 1부.

외 무 부 장 관

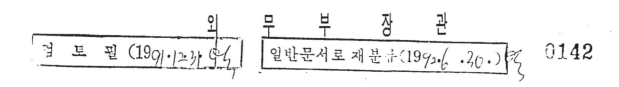

검 토 필 (1991.12.24.　　)　　일반문서로 재분류(1992.6.20.)　　0142

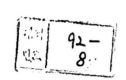

주 미 대 사 관

미국(의) 700-156   1991. 12. 27.

수신 : 장 관

참조 : 미주국장

제목 : 김근태 관련 서한 송부

연 : USW - 6399

1. 연호 하원의원 연서서한 원본을 별첨 (1)과 같이 송부합니다.

2. Claiborne Pell 상원의원이 보내온 김근태 석방을 요청하는 법무장관앞 서한도
   별첨(2) 송부하오니 전달하여 주시기 바랍니다.

첨부 : 1. 하원의원앞 연서서한 원본 및 사본 각 1부
       2. 법무장관앞 Pell 상원의원 원본 및 사본 각 1부.   끝.

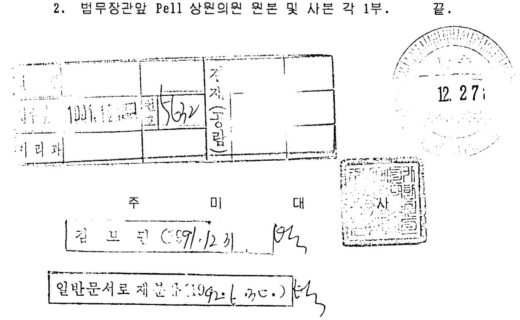

0143

Congress of the United States
House of Representatives
Washington, DC 20515

December 20, 1991

President Roh Tae-woo
The Blue House
Seoul
The Republic of Korea

Dear President Roh:

In this holiday season, we congratulate you on the signing of the non-aggression pact between South and North Korea. We welcome the steps your government is taking to promote the total reconciliation of the Korean people and wish you our best in this endeavor.

As tensions begin to recede on the Korean peninsula, we remain concerned about one feature of the past: South Korea's political prisoners, especially Mr. Kim Keun-tae. Mr. Kim was sentenced to two years in prison for his supposed role in helping organize nationwide demonstrations in May, 1990. Although some were marred by spontaneous violence, sufficient evidence to attribute the violence to Mr. Kim is lacking. Amnesty International has recognized Mr. Kim as a prisoner of conscience because of his imprisonment solely for his expression of political beliefs. In the past, the Robert F. Kennedy Memorial Human Rights Center awarded Mr. Kim and his wife, In Jae-keun, its annual human rights award for their work.

Kim Keun-tae has long demonstrated his commitment to democracy in Korea. In fact, his advocacy during the regime of Chun Doo-hwan resulted in his torture and three year imprisonment. As Korean democracy is manifested in the holding of free elections next year, to deny one of its strongest advocates his freedom because of his opinions would be an extreme injustice. For this reason, we strongly urge the immediate release of Kim Keun-tae and other prisoners of conscience.

Sincerely,

EDWARD F. FEIGHAN, M.C.

THOMAS M. FOGLIETTA, M.C.

TOM LANTOS, M.C.

FRANK J. GUARINI, M.C.

0144

ROBERT J. MRAZEK, M.C.

ANTHONY C. BEILENSON, M.C.

BARBARA BOXER, M.C.

MAJOR R. OWENS, M.C.

JAMES P. MORAN, M.C.

WILLIAM J. HUGHES, M.C.

JOSEPH P. KENNEDY, II, M.C.

PETER H. KOSTMAYER, M.C.

BARNEY FRANK, M.C.

LOUISE M. SLAUGHTER, M.C.

CHRISTOPHER H. SMITH, M.C.

VIC FAZIO, M.C.

EDWARD J. MARKEY, M.C.

MEL LEVINE, M.C.

0145

Congress of the United States
House of Representatives
Washington, DC 20515

OFFICIAL BUSINESS

[signature]
M.C.

0146

President Roh Tae-woo
c/o Embassy of the Republic of Korea
2370 Massachusetts Ave., NW
Washington, DC 20008

Congress of the United States
House of Representatives
Washington, DC 20515

December 20, 1991

President Roh Tae-woo
The Blue House
Seoul
The Republic of Korea

Dear President Roh:

In this holiday season, we congratulate you on the signing of the non-aggression pact between South and North Korea. We welcome the steps your government is taking to promote the total reconciliation of the Korean people and wish you our best in this endeavor.

As tensions begin to recede on the Korean peninsula, we remain concerned about one feature of the past: South Korea's political prisoners, especially Mr. Kim Keun-tae. Mr. Kim was sentenced to two years in prison for his supposed role in helping organize nationwide demonstrations in May, 1990. Although some were marred by spontaneous violence, sufficient evidence to attribute the violence to Mr. Kim is lacking. Amnesty International has recognized Mr. Kim as a prisoner of conscience because of his imprisonment solely for his expression of political beliefs. In the past, the Robert F. Kennedy Memorial Human Rights Center awarded Mr. Kim and his wife, In Jae-keun, its annual human rights award for their work.

Kim Keun-tae has long demonstrated his commitment to democracy in Korea. In fact, his advocacy during the regime of Chun Doo-hwan resulted in his torture and three year imprisonment. As Korean democracy is manifested in the holding of free elections next year, to deny one of its strongest advocates his freedom because of his opinions would be an extreme injustice. For this reason, we strongly urge the immediate release of Kim Keun-tae and other prisoners of conscience.

Sincerely,

EDWARD F. FEIGHAN, M.C.

THOMAS M. FOGLIETTA, M.C.

TOM LANTOS, M.C.

FRANK J. GUARINI, M.C.

0147

President Roh Tae-woo
Page 2
December 20, 1991

ROBERT J. MRAZEK, M.C.

ANTHONY C. BEILENSON, M.C.

BARBARA BOXER, M.C.

MAJOR R. OWENS, M.C.

JAMES P. MORAN, M.C.

WILLIAM J. HUGHES, M.C.

JOSEPH P. KENNEDY, II, M.C.

PETER H. KOSTMAYER, M.C.

BARNEY FRANK, M.C.

LOUISE M. SLAUGHTER, M.C.

CHRISTOPHER H. SMITH, M.C.

VIC FAZIO, M.C.

EDWARD J. MARKEY, M.C.

MEL LEVINE, M.C.

United States Senate

COMMITTEE ON FOREIGN RELATIONS

WASHINGTON, DC 20510-6225

December 20, 1991

Dear Mr. Minister:

I am writing to urge that you release Kim Keun-Tae, a political prisoner who has been detained since May 1990. Based on information provided to me by the Robert F. Kennedy Center for Human Rights, it is my view that the continued detention of Mr. Kim violates his basic human rights of free expression and free assembly.

In the spirit of Christmas and the New Year, it would be a generous gesture if Mr. Kim and other political prisoners could be released and reunited with their families. Releasing Mr. Kim and other political prisoners would also help to dispel doubts about the Republic of Korea's commitment to true democracy.

With every good wish.

Ever sincerely,

Claiborne Pell
Chairman

His Excellency
    Kim Kee-Choon
        Minister of Justice
            Republic of Korea

0149

외 무 부

110-760 서울 종로구 세종로 77번지 / (02) 720-2321 / (02) 720-2686

문서번호 미일 0160- 25

시행일자 1992. 1. 7.

(경 유)

수 신 법무부장관

참 조 법무실장

취급		장 관	
보존			
국 장	전 결		
심의관			
과 장			
기 안	홍석규		협조

제 목 김근태 석방촉구 미 상원의원 서한 전달

        연 : 미일 0160-3140(91.12.26)

     1. 주미대사는 Claiborne Pell(민주, 로드아일랜드) 상원의원이 김근태
석방을 요청하는 귀부장관앞 서한을 별첨과 같이 송부하여 왔습니다.

     2. 상기관련, 당부로서는 연호 미하원의원 연서서한과 함께 주미대사로
하여금 김근태 관련자료를 기초로 설명 또는 서한을 발송케할 예정인 바, 연호
김근태 관련자료를 당부로 조속 송부하여 주시기 바랍니다.

첨 부 : 상기 서한 원본 1부.

일반문서로 재분류(1992.6.30.)

0150

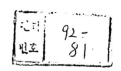

외 무 부

110-760 서울 종로구 세종로 77번지 / (02) 720-2321 / (02) 720-2686

문서번호 미일 0160-54

시행일자 1992. 1. 13.

(경유)

수신 주미대사

참조

취급		장 관
보존		
국 장	전 결	
심의관		
과 장		
기 안	홍석규	협조

제목 김근태 관련 자료송부

대 : USW-6399, 미국(의) 700-156

대호 연서서한에 대한 법무부 작성, 설명자료를 별첨 송부하오니 연서
서한에 가담한 의원들에 서한발송 등 방법으로 적의 설명하고 결과 보고바랍니다.

첨부 : 상기 자료 1부.

외 무 부 장 관

일반문서로 재분류(1992. 1. 30.)

0151

법 무 부

인권 2031-8   503-7045   1992. 1. 9.

수신 외무부장관

참조 미주국장

제목 김근태 등 3명에 대한 설명자료 송부

1. 귀부 미일 0160-3139('91.12.24), 미일 0160-3140
('91.12.24), 미일 0160-23('91.1.7)과 관련입니다.

2. 위호로 요청한 김근태, 고창표, 유원호에 대한 각 설명자료를
별첨과 같이 송부합니다.

첨부 : 설명자료 각 1부. 끝.

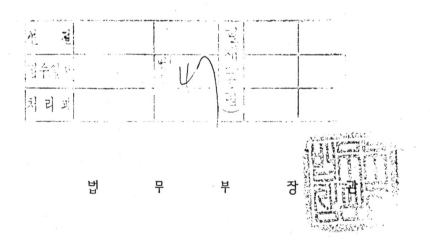

법 무 부 장

0152

김 근 태

0153

공   란

4. 석방요구에 대한 입장

o 소위 전민련 결성대회시 낭독, 배포한 결의문 등의 내용은
  북한이 우리의 자유민주체제를 파괴하기 위해 대남적화혁명
  전략하에 행하고 있는 선전.선동과 동일한 내용으로서, 우리
  국가의 안전과 국민의 생존 및 자유를 확보하기 위해 그와
  같은 선전.선동행위와 그에 동조하는 행위를 처벌하도록 규정
  하고 있는 국가보안법을 위반한 것이고

0155

o 표현의 자유 보장과의 관계에 대해서는 대한민국 헌법 제21조
  에서는 언론·출판·집회·결사의 자유를 보장하고 있으며, 정부도
  이러한 국민의 기본권이 보장되도록 최대한의 노력을 하고 있음.
  그러나 개인의 자유는 무한한 것이 아니며 그에 대한 합리적인
  제한은 현대의 민주적인 헌법국가에서 헌법의 전체적 가치질서
  의 실현을 위해 불가피한 것으로 받아 들여지고 있으며,

  - 이에 따라 대한민국 헌법 제37조 제2항에서는 국민의 모든
    자유와 권리는 국가안전보장, 질서유지 또는 공공복리를
    위하여 필요한 경우에 한하여 법률로서 제한할 수 있으며,
    제한하는 경우에도 자유와 권리의 본질적인 내용을 침해할
    수 없다고 규정하고 있음

o 물론 어떤 개인이 국가보안법이나 집회및시위에관한법률이
  헌법에서 보장하고 있는 자유의 본질적인 내용을 침해하고 있다
  고 생각할 수 있으나, 그런 경우 우리 헌법하에서 민주사회의
  시민으로서 취할 수 있는 행동은 헌법재판소에 국가보안법이나
  집회및시위에관한법률이 위헌법률임을 제청하여 판단을 받거나,
  평화적이고 합법적인 방법으로 법률개정을 주장 내지 탄원하여야
  할 것이지, 바로 범법행위를 할 것은 아니라고 생각함

0156

o 김근태는 AI의 기준에 비추어 보더라도 양심수라고 할 수 없음.
  비록 그 자신이 직접 폭력행위를 하지는 않았지만, 옥외집회와
  시위를 신고없이 개최하고, 시위현장에서 폭력행위를 선동함
  으로써 감당하기 어려웠던 광범위한 폭력행위를 야기하였음

  - 이러한 사실은 독립된 사법부의 엄격한 증거판단에 입각하여
    인정된 것이며, 김근태 자신도 이를 다투지 아니하였음.
    범죄사실이 충분한 증거를 결여하고 있다는 주장은 우리나라
    사법부의 판단을 무시하고 그 독자적 역할을 부인하는 것으
    로서 심히 유감스러운 주장이라 아니할 수 없음

  - 우리나라 헌법 제12조 제7항에 의하면 피고인의 자백이 고문,
    폭행, 협박 등의 방법에 의하여 자의로 진술된 것이 아니라고
    인정될 때에는 이를 유죄의 증거로 삼을 수 없도록 되어 있고

  - 가사 고문에 의한 자백이 아니라 하더라도 피고인의 자백이
    유일한 유죄증거이고 다른 증거들이 없을 때에는 이를 이유로
    유죄판결을 할 수 없도록 되어 있음

  - 따라서 피고인의 자백이 유일한 증거일 때는 유죄선고를 할
    수 없을 뿐만 아니라, 더 나아가 그 자백이 고문에 의한 것일
    때에는 유죄선고를 할 수 없음은 말할 것도 없음

o 남북한간에 합의서가 조인되는 등 바람직한 상황전개가 있는
  것은 사실이지만, 그와 같은 상황과 폭력을 수반한 의사표시에
  대한 형사처벌과는 아무 관련이 없다고 생각하며, 어떠한 상황
  에서도 폭력적 의사표시는 용납될 수 없다고 생각함   0157

o 김근태의 의도가 무엇이었던지간에 동인은 폭력행위등처벌에
  관한법률과 집회및시위에관한법률을 위반하여 구속되었고,
  동 법률의 필요성과 의의에 대해서 특별한 의문이 없으며,
  동인에 대한 수사 및 재판절차의 공정성에 대해서도 이의가
  제기되고 있지 않다는 점을 유의하여야 할 것임

o 따라서 동인은 사법부의 판결대로 복역하고 있으며, 석방 등의
  특별한 고려는 검토하고 있지 아니함

5. 접견상황

행형법 및 관계법규에 따라 다른 수용자와 동일하게 실시하고 있음

0158

외교문서 비밀해제: 한국 인권문제 13
한국 인권문제 미국 반응 및 동향 5

초판인쇄 2024년 03월 15일
초판발행 2024년 03월 15일

지은이 한국학술정보(주)
펴낸이 채종준
펴낸곳 한국학술정보(주)
주 소 경기도 파주시 회동길 230(문발동)
전 화 031-908-3181(대표)
팩 스 031-908-3189
홈페이지 http://ebook.kstudy.com
E-mail 출판사업부 publish@kstudy.com
등 록 제일산-115호(2000. 6. 19)

ISBN 979-11-7217-067-7 94340
      979-11-7217-054-7 94340 (set)